La familia

LC 7-10-10 ante las
7-13

drogas

La familia
ante las
drogas

Rafael Velasco Fernández

EDITORIAL
TRILLAS

México, Argentina, España
Colombia, Puerto Rico, Venezuela

Catalogación en la fuente

Velasco Fernández, Rafael
    La familia ante las drogas. -- México : Trillas,
2000.
        176 p. : il. ; 23 cm.
        ISBN 968-24-6136-7

        1. Familia - Conducta de vida. 2. Problemas
sociales. 3. Drogas - Abuso. I. t.

    D- 394.14'V159f   LC- HV5801'V4.3

Derechos reservados
© 2000, Editorial Trillas, S. A. de C. V.,
Av. Río Churubusco 385, Col. Pedro María Anaya,
C.P. 03340, México, D. F.
Tel. 56 88 42 33, FAX 56 04 13 64

División Comercial, Calz. de la Viga 1132, C.P. 09439
México, D. F., Tel. 56 33 09 95, FAX 56 33 08 70

Miembro de la Cámara Nacional de la
Industria Editorial. Reg. núm. 158

Primera edición, 1998 (ISBN 970-670-031-5)
    Gobierno del Estado de Veracruz y la
    Secretaría de Educación y Cultura

Segunda edición, octubre 2000
(Primera publicada por Editorial Trillas, S. A. de C. V.)
ISBN 968-24-6136-7

Impreso en México
Printed in Mexico

Esta obra se terminó de imprimir y encuadernar
el 16 de octubre del 2000,
en los talleres de Rotodiseño y Color, S. A. de C. V.
BM2 100 RW

Introducción

Me habló de la mariguana, de la heroína, de los hongos, de la llaguasa. Por medio de la droga llegaba a Dios, se hacía perfecto, desaparecía. Pero yo prefiero mis viejos alucinantes: la soledad, el amor, la muerte.

JAIME SABINES

"El consumo de drogas debe considerarse como algo de sumo interés para la familia, no solamente como un mal hábito individual." Organización Mundial de la Salud.*

La tarea de prevenir y reducir el consumo de las drogas adictivas debe enfocarse de tal modo que abarque no sólo a los individuos que pueden llegar a usarlas, sino también a la familia y a la sociedad, que tienen su parte de responsabilidad y que sufren las consecuencias de este fenómeno moderno. En lo que concierne a la familia, recordemos que ésta constituye el soporte dinámico de cada uno de sus miembros durante las diferentes etapas de su ciclo vital. Una familia sana provee el apoyo emocional y promueve el desenvolvimiento social de sus miembros más jóvenes, a quienes proporciona incondicionalmente los elementos

---

* *Preventing Substance Abuse in Families*, World Health Organization, WHO/PSA/93.9.

materiales y morales necesarios. Todo ello favorece el bienestar personal de cada uno, con el firme avance de los niños y jóvenes hacia la integración de una personalidad sana.

Al mismo tiempo, la salud mental del núcleo familiar garantiza que no se ejerza la violencia, el abuso psicológico o la negligencia que deja sin guía a los menores. En el seno familiar es donde los hijos aprenden a vivir sanamente y a evitar las conductas que pueden obstaculizar su desarrollo psicosocial, como el consumo de drogas que causan adicción.

La capacidad de las familias para cumplir tan grandes responsabilidades puede aumentar con información adecuada sobre diversos temas relacionados con el desarrollo infantil, la educación en el hogar, los riesgos ante las conductas desviadas, etc. Siempre es mejor saber que ignorar. Por ello se justifica una publicación como ésta, que pretende proporcionar a los padres de familia los elementos básicos de apoyo para actuar con mejores posibilidades frente a la amenaza social, fácilmente reconocible y justificadamente inaceptable del consumo de drogas. Nadie podría negar que los miembros de una familia desunida, "disfuncional" como la llaman los psicólogos y pedagogos, o que carezcan de la información básica sobre el problema, sus causas y consecuencias, pueden cometer errores o dejar de actuar en forma adecuada ante este fenómeno que hoy enfrentamos. Esta publicación, intencionalmente breve, sólo puede aspirar a dotar a las familias de un conocimiento mínimo, pero tal vez suficiente, sobre el problema del consumo de drogas por parte de los jóvenes y de la manera más recomendable de afrontarlo en el hogar.

Ya que un tema como éste debe abordarse con toda seriedad, es importante que los términos técnicos utilizados se aclaren debidamente desde un principio. Por ello, en el capítulo "Nuestra actitud ante el consumo de drogas", incluimos un preámbulo en el que se explican y desarrollan algunos conceptos y ciertas expresiones empleadas por los expertos. Sin embargo, el instrumento más importante para comprender el texto es el glosario que se anexa al final. La idea es que el lector recurra a él cada vez que encuentre uno o más términos cuyo significado le parezca incierto.

La historia que precede y origina los fenómenos culturales trascendentes es importante, ya que nos devela hechos influyentes y factores condicionantes. Por esta razón, dedicamos unos párrafos a los eventos históricos que los estudiosos señalan como los más importantes en la creación de la atmósfera social propicia para el consumo de drogas entre los jóvenes, en un contexto diferente al tradicional. Una pregunta que todo padre de familia se formula es: ¿por qué los muchachos usan drogas? Si bien las respuestas no son totalmente científicas, sabemos lo suficiente sobre las causas de las adicciones para intentar evitarlas o controlarlas. Un breve capítulo trata este asunto, del que necesariamente derivan otros temas, como el de los riesgos que acechan a nuestros hijos, o el de nuestra respuesta ante el descubrimiento de que alguno de ellos ha empezado a consumir alcohol o sustancias ilegales. Al tratar estos asuntos intentamos referirnos concretamente a nuestra propia cultura e idiosincrasia, evitando caer en la simple traducción de textos y artículos escritos por especialistas de otros países. Nos pareció importante aludir a la necesidad de una verdadera comunicación de los padres entre sí y con los hijos, porque es evidente que cuando ésta se produce de manera positiva, se convierte en una barrera contra las conductas erráticas e indeseables.

Este libro no informa con detalle sobre cada una de las drogas psicoactivas (*Las adicciones*, libro del autor publicado por Editorial Trillas en 1997, contiene una referencia más detallada a las drogas ilegales; es una obra cuyo destinatario es el maestro, aunque también es útil para los padres de familia), pero sí instruye de manera suficiente sobre las sustancias más usadas en nuestro medio, comenzando por las llamadas drogas legales: tabaco y alcohol. Adicionalmente se proporciona orientación a la familia acerca de acciones a tomar dentro del hogar. Hemos expuesto estos temas de tal manera que los padres puedan analizarlos y discutirlos con sus hijos en el seno familiar. En el texto se responden las preguntas más frecuentes de los jóvenes sobre los efectos de cada droga, y el lector puede confiar plenamente en que los temas se tratan en forma científica, con base en la bibliografía de consulta.

En la parte final del libro hacemos un llamado a la conciencia de los adultos y sus familias para que actúen de acuerdo con los conocimientos adquiridos. Su concurso en los programas preventivos es básico para alcanzar la meta de contener la expansión de este fenómeno mundial que tan justificadamente nos preocupa. Si la lectura de estas páginas origina una actitud de interés en las acciones que han de emprenderse, si logra la disposición de las familias mexicanas para exigir acciones del gobierno y, sobre todo, participar en ellas, se habrá alcanzado el objetivo principal de esta obra.

RAFAEL VELASCO FERNÁNDEZ

BIBLIOGRAFÍA

De la Fuente, Juan Ramón, Discurso pronunciado durante la celebración del "Día Internacional contra el Uso Indebido y el Tráfico Ilícito de Drogas", México, D. F., 1997.

Edwards, Griffith, "Taking Substance Misuse Seriously", en *Health and Hygiene*, núm. 13, Londres, 1992, pp. 147-157.

Wallack, Lawrence y Corbett Kitty, *Youth and Drugs Society's Mixed Messages*, OSAP Prevention Monograph, núm. 6, Washington, D. C., 1990.

World Health Organization, *Preventing Substance Abuse in Families*, WHO/PSA, núm. 3, Ginebra, 1993.

____, *Programme on Substance Abuse*, WHO/PSA, núm. 3, Ginebra, 1993.

Índice de contenido

Nuestra actitud ante el consumo de drogas 1

He descubierto, como Erasmo, que la locura
es eterna y que, sin embargo, la raza humana
ha sobrevivido.

BERTRAND RUSSELL*

* **Bertrand Russell**, "Esbozo del disparate intelectual", en *Ensayos impopulares*, Hermes, México-Buenos Aires, 1952.

*S*e ha vuelto común escuchar frases como "vivimos la era de las drogas"; "el consumo de sustancias psicoactivas ya es parte de la cultura, hay que verlo como algo natural"; "la batalla contra las drogas está perdida, más vale que no se les prohíba"; "enseñemos a usarlas responsablemente" y otras semejantes. Esto expresa no sólo el desaliento ante el fenómeno moderno del consumo de sustancias psicoactivas entre los jóvenes, sino también la aceptación sin crítica de situaciones sin fundamento científico. Deseamos empezar este libro con una llamada de alerta contra esa actitud conformista. La humanidad ha pasado por otras épocas de amenazas graves pero resistió y luchó para seguir avante. Nada respalda científicamente la afirmación de que el hombre siempre ha buscado la felicidad a través de sustancias que le provoquen placer. Ciertamente, éstas han estado a su alcance, las ha usado en contextos religiosos o con la esperanza de cambiar el curso de ciertas enfermedades, pero siempre con la sabiduría suficiente para reconocer que en circunstancias distintas no se justifica e, incluso, es *peligroso* el consumo de las drogas que cambian el estado de ánimo. Hoy tenemos los conocimientos suficientes para señalar con toda certeza los riesgos que se corren al usar estas sustancias.

Independientemente de la norma jurídica que (por lo menos hasta ahora) sanciona la producción, la venta y el consumo de una diversidad de drogas, y cuya aplicación representa el primer gran obstáculo para el consumidor, hay ciertos fenómenos relacionados con los cambios que éstas producen en el organismo, que constituyen contingencias aún más graves, y que se tratarán aquí. Es momento de pedir al lector que tenga presente que la drogadicción ocurre cuando una sustancia o una mezcla de sustancias de *características especiales* reacciona en el organismo de un ser vivo, provocándole cambios fisiológicos que se traducen en modificaciones del estado de ánimo, de las funciones mentales y la conducta. Así pues, primero existe un intercambio droga-cuerpo de carácter bioquímico, proceso que cada vez conocemos mejor. En realidad, este intercambio ocurre con cualquier materia que ingresa al organismo, sea natural o sintética, como los alimentos y medicamentos. Pero en el caso de las drogas que nos interesan, hay elementos particulares (dijimos antes: *características especiales*) que justifican los calificativos que se les aplican: sustancias *psicoactivas* y *adictivas*. Al establecer el significado de estos términos comprenderemos por qué hablamos de *riesgos* cuando nos referimos a lo que puede ocurrir si las usamos.

Psicoactiva quiere decir que la sustancia actúa *principalmente* sobre el psiquismo, sobre la actividad cerebral. Por supuesto, también modifica otras funciones del cuerpo, pero su principal acción es en el sistema nervioso central. Psique significa alma o espíritu y, por extensión, inteligencia, pensamiento, todo lo que tenemos de subjetividad. Las drogas psicoactivas producen alteraciones en todas estas funciones; en general, las exacerban o deprimen y de ahí los términos que se emplean: *estimulantes* (o excitantes) y *depresoras*. Algunas, por sus efectos, no quedan en esta primera clasificación. Por ejemplo las hay psicodélicas y alucinógenas. Las primeras, también nombradas psicodislépticas, distorsionan la percepción de los estímulos. Bajo su efecto se oye, siente y ve distinto, se tiende a intensificar los sonidos, contactos, formas y colores, lo cual puede resultar placentero para algunos consumidores. **Alucinógeno** quiere decir que genera alucinaciones. Éstas se definen como sensaciones percibidas en ausencia de los estímulos necesarios; se "oyen" sonidos, voces, etc., que no han sido producidos y que obviamente las demás personas no los escuchan. También hay alucinaciones visuales, táctiles, olfativas y gustativas. Dado que éstas se presentan en ciertos trastornos mentales llamados *psicosis*, como la esquizofrenia (locura, en el lenguaje común), las drogas alucinógenas también reciben el nombre de psicotizantes o psicoticomiméticas, ya que la respuesta que provocan *imita* los estados psicóticos (*mimesis*, imitación).

Nos falta explicar el significado del término sustancia **adictiva**. Éste se aplica a las sustancias cuyo consumo lleva o puede llevar a la condición patológica (enfermedad) que se conoce como drogadicción. Las drogas psicoactivas, psicotrópicas o psicofármacos, como también se les llama, pueden *no* ser adictivas. La adicción es una condición psíquica y física en la que un ser vivo consume repetidamente una sustancia con el fin de experimentar sus efectos, o bien, cuando ya se es adicto, para evitar el sufrimiento físico y psíquico que le provoca el no consumirla; por tanto, su uso se hace *compulsivo, necesario* e *inevitable*. Sólo si se ha llegado a este estado podemos hablar de verdadera adicción o dependencia (términos sinónimos).

Cuando el organismo humano se pone en contacto con una droga psicoactiva *adictiva*, queda expuesto a riesgos que podemos clasificar en dos grandes categorías: la primera incluye los *efectos inmediatos* que la sustancia produce en los minutos y horas siguientes al consumo, y la segunda los *cambios* que ocurren en el organismo y el psiquismo a largo plazo si continúa el uso regular de la droga, siendo la *dependencia* o *adicción* el efecto más grave. Los *efectos inmediatos* varían mucho según la droga de que se trate y la dosis consumida, y van desde las respuestas apenas perceptibles, como ocurre con cantidades pequeñas de mariguana, hasta las reacciones psicóticas y los cambios físicos severos que eventualmente llevan a la muerte, como es el caso de algunos alucinógenos y sustancias sintéticas como el *éxtasis* (*tacha*). En esto no hay exageración alguna, se trata de un asunto bien documentado y científicamente estudiado.

La adicción produce trastornos físicos y psicológicos severos, además de que significa la pérdida de la capacidad del adicto para dejar de consumir la droga. Ya bien establecida la dependencia, ésta trae nuevos peligros. Los más graves son el empleo de una sobredosis capaz de producir la muerte y el dramático fenómeno del síndrome de abstinencia, que ocurre cuando no se dispone de la droga para su consumo y que es un riesgo potencial de suma gravedad. La adicción se acompaña de otras situaciones amenazantes: las actividades ilícitas ligadas a la adquisición de la droga, los daños materiales y daños a otras personas que se cometen bajo sus efectos, la incapacidad para vivir autónomamente, la infelicidad, el fracaso, entre otros.

Las drogas que nos ocupan no son peligrosas por ser ilícitas, su ilegalidad por sí sola no produce daños al hombre ni a la sociedad; son ilegales porque su consumo es peligroso. Sólo hemos señalado una parte de los riesgos, pero debe quedar claro que la decisión de los gobiernos de prohibir ciertas sustancias obedece al conocimiento, adquirido con los años, de la amenaza que significan para la salud individual y social. Las drogas de las que se ocupa este libro, ciertamente, producen estados placenteros para muchas personas. Tranquilizan, estimulan, producen euforia y alejan de los estados depresivos; por ello es que el hombre las consume, lo que parecería lógico y hasta deseable. Sin embargo, como hemos visto, sus efectos a veces son otros muy distintos y, sobre todo, se trata de *sustancias potencialmente adictivas*. Quiérase o no, su uso repetido produce *necesariamente* el fenómeno de *neuroadaptación*, que constituye la base fisiológica y anatómica de la *adicción*. Si no fuera por ello, las drogas psicoactivas podrían valorarse de manera muy distinta y no representarían mayor problema. En virtud del daño que podrían producir, estas sustancias se clasificarían simplemente como tóxicas o incluso venenosas, como tantas sustancias peligrosas para el organismo, lo que bastaría para que las evitáramos todos.

Llegamos a una primera conclusión: el consumo de las drogas psicoactivas que pueden producir adicción, es *peligroso* por diversas razones. Prohibir su producción y consumo obedece, además, a otros factores que también se tratan en este libro. Todo esfuerzo realizado para evitar que los niños y jóvenes se inicien en el consumo de las drogas, se justifica plenamente. Si queremos tener éxito, aun reconociendo que no puede ser un éxito total, es muy conveniente tener en cuenta los hechos que se enumeran a continuación.

1. Los adolescentes y los niños mayores están expuestos a las bebidas alcohólicas, al tabaco y, cada vez más notoriamente, a las drogas ilegales. Sabemos que es relativamente fácil obtenerlas y que muchos jóvenes y adultos están dispuestos a iniciar a los menores en la práctica del consumo de estas sustancias. Se trata de un peligro real, aunque las circunstancias que lo producen difícilmente se pueden modificar, por lo menos en el futuro inmediato.

2. Los jóvenes que consumen alcohol y otras drogas suelen ser víctimas de actos de violencia, sufren accidentes con mayor frecuencia, practican relaciones sexuales sin protección y disminuyen su rendimiento escolar o abandonan los estudios. Las

estadísticas obtenidas de investigaciones confiables así lo demuestran en diferentes países, independientemente de su estado de desarrollo.

3. Cuando se empieza a fumar tabaco desde temprana edad aumentan las posibilidades de llegar a beber alcohol en exceso y de consumir drogas ilícitas. Este dato lo respaldan investigaciones incuestionables. No es que la nicotina del tabaco tenga características que induzcan a los individuos a buscar otras sustancias, sino que algunos adolescentes y niños mayores son más vulnerables al desarrollo de estas conductas censuradas por la sociedad y las leyes. Definitivamente, *el problema no está en la droga, está en la persona*. Sin embargo, esto no quiere decir que las propiedades psicoactivas y el poder adictivo característico de cada sustancia no sean un factor importante a considerar.

4. En México, durante los últimos años el consumo de las drogas ilegales se ha mantenido relativamente bajo, pero es indudable que *va en aumento*. Es preocupante el uso cada vez mayor de cocaína y drogas sintéticas como las metanfetaminas. En lo que concierne a la mariguana y cocaína, en 1998 México se ubicaba en el mismo nivel de consumo en el que se encontraba Estados Unidos al inicio de la década de 1960, cuando muy pocos pensaban en un aumento notable del número de consumidores, y mucho menos pensaban en el grado que se alcanzaría ocho o 10 años después.

5. La mayoría de los adolescentes no se dan cuenta claramente de los peligros al consumir drogas. La escasa información que reciben no es suficiente para sensibilizarlos sobre el riesgo que corren; reconozcamos que en México, pese a esfuerzos meritorios, no se ha realizado la tarea preventiva como es deseable, y ni tampoco con lo que aconsejan los organismos internacionales y los expertos más reconocidos. Los esfuerzos han sido aislados, dispersos, desiguales, insuficientemente coordinados. Y hay que decir también que la participación de la comunidad, de los padres de familia y del ciudadano ha sido escasa, poco entusiasta y con un notable desconocimiento del problema.

A pesar de todo lo anterior, terminaremos este capítulo con una actitud optimista sobre el futuro del problema que nos ocupa. Dijimos antes que los hombres mostraron más de una vez a través de la historia, su capacidad para enfrentar satisfactoriamente los grandes problemas que los asediaron. Pero no es un acto de fe en la humanidad lo que ha de inducirnos a esperar confiados en que desaparecerá el consumo de drogas como práctica común. El esfuerzo que somos capaces de hacer ante esta amenaza real cuyas causas y efectos conocemos cada vez mejor, es el que debe darnos confianza. Pero antes debemos estar convencidos de que el uso de drogas adictivas es altamente dañino para el individuo y la comunidad por sus efectos negativos sobre la salud, la vida social y familiar, la economía y el bienestar individual y colectivo. Después de aceptar tan amarga realidad hay que considerar esta obra más esperanzadora: el problema se puede *contener*, la lucha se puede *ganar*. Hay naciones que han logrado reducir el consumo de las drogas psicoactivas y adictivas casi a dimensiones epidemiológicamente *tolerables*. ¿Victorias sólo parciales? Tal vez, pero se han logrado con acciones inteligentes, ordenadas y firmes, sin medidas jurídicas extremas e insensatas como la legalización que proponen los que sienten que la batalla está perdida. Digámoslo desde ahora: en nuestra opinión, fundamentada en las investigaciones científicas de organismos internacionales, la legalización provocaría, con certeza, un aumento notable del consumo de drogas y, en cambio, no se puede asegurar que terminaría con el narcotráfico y los delitos generados por éste.

Entonces... ¡a trabajar contra este flagelo! *Todos* tenemos una tarea y ya conocemos los caminos que, aunque arduos, llevan a buen fin. Los adultos, en especial los maestros y padres de familia, somos parcialmente responsables de esta amenaza tan grande para nuestros alumnos e hijos. No debemos esperar que los organismos oficiales hagan todo; no basta con que señalemos lacras y errores, somos corresponsables de la respuesta que debe darse al problema.

BIBLIOGRAFÍA

Secretaría de Salud, *Situación actual de las adicciones en México*, Consejo Nacional contra las Adicciones, México, 1995.
____, *Encuesta nacional de adicciones*, Dirección General de Epidemiología, México, 1993.
Schukit, Marc A., *Drug and Alcohol Abuse*, Plenum Medical Book Company, Nueva York, 1989.
Velasco Fernández, Rafael, *Las adicciones: manual para maestros y padres*, Trillas, México, 1997.

Un poco de historia

2

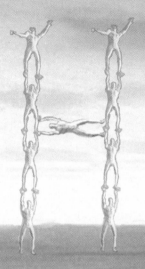

Aunque el consumo de drogas ha formado parte de la vida por siglos, la adicción se ha concentrado en las últimas cinco décadas.

Kofi Annan
Secretario General de la ONU (1997)

$\mathcal{L}$ os estudios étnicos y antropológicos realizados durante los últimos lustros demuestran claramente que desde hace mucho tiempo, diferentes pueblos en épocas distantes unas de otras, consumieron sustancias psicoactivas. Los arqueólogos tienen pruebas de que ya en la prehistoria se ingerían productos vegetales capaces de causar cambios psicológicos y sensoriales debido a los alcaloides contenidos en las raíces, los tallos, las hojas, las flores y las semillas de muchas plantas. La mariguana, la digital, la belladona, la reserpina y el opio son algunos ejemplos. Los propósitos que se perseguían al ingerirlos fueron variables: se querían efectos medicinales, se buscaba el acercamiento a los dioses especialmente con las sustancias alucinógenas o, como en épocas más recientes, se intentaba favorecer las relaciones humanas.

El uso ritual es quizá la forma de consumo más antigua, sobre todo de las sustancias alucinógenas. Las sociedades maya y azteca respetaban a los sacerdotes que las ingerían para "comunicarse con los dioses", circunstancia que aún ocurre entre ciertos indígenas de México y de muchos otros países. Los judíos daban el mismo uso al alcohol, y algunas sociedades africanas y asiáticas conocían gran variedad de plantas que servían, y en muchos casos aún sirven, para los mismos propósitos. No debe parecernos extraño que así sea; sólo tenemos que imaginarnos el efecto que en las comunidades primitivas o no civilizadas produce la alteración de la conciencia de algunos de sus más respetados personajes (sacerdotes, chamanes). En esas sociedades, lo sagrado ocupa un lugar especial, al punto de que es imposible distinguir entre cultura y religión, así se puede entender que sólo ciertas autoridades religiosas mediante reglas muy estrictas usen las drogas en las ceremonias.

Nos interesa señalar la enorme diferencia que existe entre la forma de consumo que tiene una finalidad místico-religiosa y la forma en que los jóvenes y muchos adultos usan hoy las sustancias psicoactivas. Historiadores, médicos y estudiosos de las ciencias sociales han intentado explicar cómo fue que las sociedades modernas empezaron a consumir las drogas adictivas de manera diferente y por qué se dio este fenómeno de expansión del problema hacia las naciones menos desarrolladas. Surgen muchas interrogantes cuyas respuestas están condicionadas por el hecho indudable de que el asunto es muy complejo y que los factores que intervienen no sólo son socioculturales sino también psicológicos, biológicos e incluso farmacológicos, y donde las propiedades específicas de cada droga también juegan un papel muy importante. Antes de tocar este aspecto, digamos algo breve sobre el uso medicinal que a través del tiempo se ha dado a las sustancias psicoactivas contenidas de manera natural en una gran variedad de plantas.

Una gran cantidad de los vegetales que desde hace miles de años se han usado en la medicina tradicional de las diferentes regiones tiene efectos psicoactivos, aunque el objetivo principal de su uso fuera muy distinto, como el de aliviar el dolor, evitar la inflamación o detener una diarrea. Pero una vez que sus efectos sobre el estado de ánimo se descubrieron y se controlaron hasta cierto punto, empezaron a usarse precisamente en quienes mostraban trastornos mentales y de comportamiento, con el fin de adaptarlos a la realidad y evitarles sufrimientos. Independientemente de que se obtuvieran beneficios médicos reales, muchas de esas sustancias eran adictivas; por eso tenemos la certeza de que desde hace muchísimos años se presentó en el ser humano el fenómeno de la farmacodependencia. Sin embargo, es probable que no tuviera las características actuales por las diferencias socioculturales tan grandes. Y seguramente el uso de esas plantas coadyuvó al florecimiento de la hechicería, la brujería y la charlatanería.

Sobre el tema de la charlatanería no dejaremos pasar la oportunidad de decir algo que deben saber todas las personas que se interesan seria y objetivamente en el problema moderno del consumo de drogas psicoactivas. Es evidente que existe un movimiento mundial en pro del uso medicinal de algunas de las drogas que aún son ilegales en todo el mundo. Es una estrategia para el logro de un fin que va mucho más allá de la simple autorización médica para prescribirlas (por ejemplo, en Arizona, Estados Unidos, en 1977 se modificó la ley para permitir la prescripción de mariguana en casos especiales). Hablamos del objetivo de legalizarlas, que persigue gente de buena o mala fe, que cuenta con un apoyo económico enorme cuyo origen no es muy claro. La pregunta racional y lógica es, ¿realmente sirven, por lo menos algunas de ellas, para curar o aliviar síntomas desagradables y algunas enfermedades? Si la respuesta es afirmativa, sólo faltaría evaluar los costos y beneficios de su uso, tanto para el individuo como para la sociedad, como ejercicio necesario previo a la aprobación de nuevas leyes que procuren el bienestar general.

Por supuesto, todos estos asuntos se estudian a fondo en laboratorios, clínicas y hospitales. Sin embargo, los científicos son muy cuidadosos al valorar y enjuiciar las investigaciones, ya que algunas de éstas, especialmente las que favorecen el uso de las drogas ilegales en medicina, no cumplen con los requisitos mínimos de calidad. Al principio, por ejemplo, aparecieron expectativas sobre la posibilidad de que los alucinógenos pudieran servir para establecer mejores condiciones para practicar psicoterapias efectivas en las neurosis, e incluso en las psicosis. Lo que hoy sabemos es que estas sustancias constituyen una seria *contraindicación* en los trastornos psicopatológicos, independientemente de que se proporcione psicoterapia como parte del tratamiento. Por otra parte, se observó que algunas de las drogas prohibidas sí tienen efectos benéficos en el curso de ciertas enfermedades. La morfina y otros derivados del opio calman el dolor intenso, la mariguana mejora la situación de algunos pacientes cancerosos en la fase terminal y es útil en el tratamiento del glaucoma (enfermedad de los ojos que suele llevar a la ceguera). Estos ejemplos y otros los citan insistentemente quienes abogan por la legalización, pero no mencionan que en la mayoría de los casos la medicina moderna cuenta con medicamentos más efectivos, que no son adictivos y que tienen escasos efectos secundarios. Además, en lo que se refiere a las enfermedades terminales que se cursan con dolor intenso, prácticamente todos los países poseen la legislación pertinente y regulan el uso médico de narcóticos (la morfina y otros derivados opiáceos, por ejemplo). Si se consideran los costos y beneficios, no hay duda: las drogas ilegales, salvo las excepciones ya aceptadas, no tienen un lugar en la medicina actual.

Volvamos ahora a la búsqueda de una explicación satisfactoria sobre cómo se dio el consumo de drogas en un contexto totalmente distinto al religioso y medicinal. ¿Qué ocurrió en el curso de la historia que condujo a los jóvenes de los países anglosajones, especialmente a jóvenes de Estados Unidos, a consumir sustancias psicoactivas? ¿Qué factores contribuyeron al desarrollo de este fenómeno que a fines de este siglo amenaza con extenderse aún más en algunas naciones y que causa tanto daño al individuo y a la sociedad? Empecemos por decir que las características actuales aparecieron después de la Segunda Guerra Mundial. No se niega que antes de esa época se consumieran drogas fuera del contexto médico; además, se sabe que existían adictos a sustancias bien conocidas por sus efectos. Sólo hay que recordar estos datos: la heroína se sintetizó cuando ya su antecesora, la morfina, llevaba años de uso médico extendido (el famoso láudano no era otra cosa que una solución de opio); desde el siglo XVIII existieron personajes famosos que adquirieron una gran adicción al someterse a tratamiento para enfermedades dolorosas (el poeta Coleridge Taylor y Benjamín Franklin); la cocaína provocó preocupación por sus efectos adictivos desde fines del siglo pasado, y ya en 1900 la *Coca Cola* hubo de sustituir en su bebida la cocaína por la cafeína ante la inminente prohibición (la ciudad de Atlanta, Estados Unidos, la prohibió en 1901); a principios del siglo XX en Inglaterra, Estados Unidos y desde luego en China y otros países, había un buen número de "fumaderos de opio" a los que acudían a drogarse numerosos ciudadanos. Pero, repitámoslo, las características del consumo en esas etapas eran otras y, salvo en el caso del opio en China, no podría hablarse de consumo masivo, mucho menos entre los jóvenes en las circunstancias y con los fines que se persiguen hoy.

Al término de la Segunda Guerra Mundial, Estados Unidos emergió como la nación más rica y fuerte, con una economía en ascenso. Empezaba a vivir una etapa interesante de su desarrollo social con cambios importantes en las costumbres y actitudes de sus pobladores, especialmente los más jóvenes. Ocurrió también que el número de adolescentes aumentó en un tiempo relativamente corto y que éstos disponían de más dinero para gastar. Particularmente, hubo una verdadera explosión del número de estudiantes (de 2.2 millones de asistentes a la preparatoria a 7.4 millones entre los años de 1950 y 1970). Concurrieron además otros hechos que deben considerarse para entender el escenario sociocultural que favoreció el desarrollo progresivo del fenómeno de consumo de drogas entre la juventud. Algunos sociólogos distinguidos, al reflexionar sobre este asunto, señalan que debieron influir los siguientes factores:

1. La aparición de métodos seguros de control natal (la píldora principalmente), lo que propició la relajación de las viejas consignas respecto al sexo, y posibilitó su práctica sin riesgo de embarazo, al tiempo que se generalizaban ideas novedosas sobre las relaciones entre los jóvenes (Havelock Ellis: "Todos los que se aman son marido y mujer").
2. La forma progresiva de una subcultura original de la adolescencia influida por los medios de comunicación masiva y unida por el *rock and roll*.
3. Como consecuencia de lo anterior, el ensanchamiento de lo que desde principios de siglo los psicólogos llamaron el abismo generacional, es decir, el alejamiento entre adolescentes y adultos por las diferencias de actitud ante la vida (en la década de 1950, esta "ruptura entre padres e hijos" era tema obligado de los textos pedagógicos y psicológicos).
4. La implantación de una actitud generalizada que venía gestándose desde principios de siglo: el consumismo desbordado, la inclinación a adquirir objetos y bienes, no todos necesarios para una vida normal adecuada a la edad de cada individuo.
5. La generalización de una inclinación de los jóvenes a "gozar el aquí y el ahora", tal vez como un componente de la actitud a la que conducían las tendencias hasta aquí mencionadas. Tal inclinación es parte de una forma de vida que anula o disminuye tanto la capacidad de posponer gratificaciones como la tolerancia a las frustraciones. Lo anterior se reflejó en la creación, mediante el cine y la televisión, de un tipo de héroe juvenil cuyas características personales negaban buena parte de los valores tradicionales, en particular los que atañen a la familia. La búsqueda de sensaciones nuevas e intensas, el reto ante las prohibiciones y el reforzamiento del individualismo (*mi*

derecho a...) son componentes también de esta caracterología de la "nueva juventud" de los años cincuenta con su mayor expresión en los sesenta.

Es importante que el lector no interprete lo anterior como una condena a la juventud de esa época y de las posteriores. Es indudable que junto a esos componentes socioculturales que reflejaron su influencia en los adolescentes, hubo otros lo suficientemente saludables para desarrollar en ellos todo su potencial. No, no todo lo que caracterizó a esa juventud fue malo o indeseable. Pero ahora nos estamos refiriendo a los factores que los estudiosos han mencionado como responsables del consumo de las drogas adictivas en su forma actual.

En este escenario que se creó en el curso de dos o tres décadas, fue apareciendo la tendencia al consumo de drogas, primero de la mariguana y poco después de los alucinógenos (LSD principalmente). También se dejó sentir la influencia de algunos profesores y educadores que hablaron a favor de la "experiencia trascendental" con las sustancias psicoactivas, lo que dio una especie de halo intelectual o filosófico al uso de las drogas que alteran la mente. Se relacionó la vivencia alucinatoria o de simple euforia con ideas y creencias expresadas en las religiones orientales, particularmente el budismo, o lo que aquellos profesores y sus alumnos interpretaban como tal. Los grupos nacientes de "intelectuales bohemios" como alguien los llamó, o *beats* como se autonombraron, fueron sin duda una gran influencia en la expansión del consumo de drogas. Y es que señalaban los efectos agradables que éstas pueden producir, sin referirse a los riesgos para la salud y sobre todo al peligro de la dependencia psicológica y física.

Ha sido costumbre designar con el término de rebeldes a los adolescentes que en buen número dejaban sus hogares y erraban sin proyectos de vida ni planes de trabajo (*beatnicks*). Pero la rebeldía es una forma de *reacción* ante situaciones impuestas y siempre implica la propuesta de un cambio; el verdadero rebelde busca el cambio y lucha por él. Los jóvenes de aquella generación no se agruparon para el logro de una sociedad más justa ni mucho menos. Más bien se valían de la tolerancia de esa organización social, a la que consideraban injusta, para subsistir. En nuestra opinión, se trató de un fenómeno que sólo pudo darse en un mundo apático muy tolerante, que no se percató de la gravedad del deterioro social. El consumo de drogas coadyuvó a ello, pero es difícil saber cuáles fueron las causas y los efectos. Un hecho es innegable: las sustancias adictivas no propician el desarrollo sano de la personalidad, causan daños a la salud y generan formas variadas de violencia. Su consumo disminuye la productividad y favorece la indolencia precisamente en la etapa de la vida en la que los seres humanos han de ser más activos y creativos.

Nos hemos referido a lo que ocurrió en Estados Unidos porque sabemos que fue en ese país en donde empezó a generalizarse el uso de las drogas entre los jóvenes. Pero sabemos también que otras naciones en condiciones muy diferentes de desarrollo y con expresiones culturales y costumbres igualmente distintas, enfrentan ya graves problemas por el consumo de drogas. No existen modelos sociológicos capaces de explicar totalmente la génesis del fenómeno, pero es una realidad donde hay factores socioculturales que lo propician y matizan. El hecho es que hoy, prácticamente no existe nación que no sufra las consecuencias del consumo de drogas lícitas o ilícitas y de la adicción de un porcentaje de su población.

Enseguida haremos una pequeña referencia a lo ocurrido en otros países con respecto al consumo de drogas. Es muy frecuente escuchar o leer que la drogadicción se extiende irremediablemente en el mundo, pero si queremos precisar en los datos, debemos ser muy cautos. Es verdad que en muchos países el consumo de drogas ilegales va en aumento; sin embargo, en otros ha disminuido y en algunos en forma notable, como ocurre en Suecia. También existen casos en los que el fenómeno parece haberse estancado: las estadísticas varían muy poco de un año a otro, o bien, aumenta ligeramente el consumo de una droga pero disminuye el de otras. La afirmación de que el problema se expande en todos lados no tiene una base científica. Por lo demás, nada tiene de extraño que existan grandes diferencias si recordamos la variedad de factores que se conjugan para producir este fenómeno tan complejo. Lo que sí es cierto es que no contamos con elementos *seguros* para predecir lo que ocurrirá en un país o en una región determinados, aunque se conozca bien la situación presente.

El caso de Pakistán ilustra lo anterior: a pesar de ser un productor de opio y mariguana, hasta hace unos años no tenía un gran problema de consumo. Algunos estudiosos afirmaron que tal situación se debía a que la población rechazaba el consumo de drogas, sobre todo porque había una gran tradición de unión familiar con un respeto reverente hacia la figura paterna. Pero, ¿qué ocurrió en los últimos años? Apareció casi explosivamente una "epidemia" de consumo de heroína que a su vez propagó el síndrome de inmunodeficiencia adquirida (SIDA), ya que en aquel país esta droga se usa principalmente por vía endovenosa. A principios de 1998 había más de tres millones de adictos (un millón de ellos a la heroína) y más de un millón de enfermos de SIDA. Esta experiencia debe hacer reflexionar a quienes en los países en desarrollo opinan que la tradición familiar los mantiene a salvo de un incremento progresivo de las adicciones.

Estadísticamente, la situación actual en México es muy parecida a la de Estados Unidos al inicio de la década de 1960, si excluimos los datos relativos a las drogas sintéticas. Una comparación indica que, en 1998, en el consumo de mariguana, cocaína y los alucinógenos tradicionales (LSD sobre todo) existió una diferencia en una proporción de 1 a 10-15, es decir, en Estados Unidos esas sustancias se consumieron de 10 a 15 veces más. No podemos hacer comparaciones de los inhalables y las drogas sintéticas porque las estadísticas no se obtuvieron con los mismos procedimientos, pero es probable que las diferencias sean similares. El Centro de Integración Juvenil de México hizo la comparación estadística de la que tomamos los datos anteriores (1977). Pero hay que decir que en el caso de la cocaína, la brecha diferencial se cierra paulatinamente porque los jóvenes la consumen cada vez más, tanto en la forma de aspiración nasal como fumada en pipa (cocaína base, *crack*).

Los datos anteriores deben ser objeto de nuevas comparaciones porque se refieren a encuestas pasadas. De acuerdo con los resultados de las más recientes, tanto de Estados Unidos de América como de México, esperan una nueva interpretación. En la Tercera Reunión Binacional México-EUA, realizada en mayo-junio del año 2000 en Phoenix, Arizona, las autoridades estadounidenses anunciaron un considerable descenso en el número de jóvenes que anualmente se inician en el consumo de las drogas ilegales. En 1999, de acuerdo con dicha comunicación, el número de quienes declararon haber consumido una o más drogas ilegales "alguna vez en la vida", es más o menos la mitad del que se obtuvo al final de la década de 1970, cuando se alcanzó el mayor consumo.

Esta noticia tiene importantes implicaciones en lo general (puede decirse que *el consumo de sustancias ilegales va en descenso* en aquel país y se ha sostenido así en los últimos dos a tres años), pero también las tiene en ciertos aspectos específicos. Por ejemplo, demuestra que ya no es sostenible la afirmación de que "la batalla está perdida", y que no hay medidas preventivas exitosas. Otros países, como los escandinavos, nos dan también buenas noticias al respecto. Hoy puede afirmarse que la prevención del consumo es posible y, también, que *el tratamiento del adicto puede ser exitoso*. Estas dos premisas hacen válido nuestro esfuerzo sostenido en los programas para la reducción de la demanda de drogas.

Desafortunadamente la Encuesta Nacional de Adicciones, realizada en 1998 y publicada en 1999, muestra para México un panorama diferente: el consumo, aun siendo mucho menor que el de Estados Unidos y otros países, *va en aumento*. El 5.27 % de los individuos de las zonas urbanas, mayores de 12 años, han consumido alguna droga ilegal "alguna vez en la vida". Además, la cocaína se consume cada vez más, sobre todo en la adolescencia tardía y la primera juventud; y también es cierto que el *éxtasis* (la "tacha", a la que le dedicamos apartado especial en esta pequeña obra), se consume con más frecuencia en las fiestas juveniles y en las discotecas. Por esto hemos dicho que debe hacerse un nuevo ensayo de comparación entre México y Estados Unidos de América.

Terminaremos este capítulo con una reflexión. Si analizamos los hechos históricos y valoramos los cambios que las sociedades producen, ya sea para bien o para mal, tal vez podamos comprender por qué apareció y se desarrolló el consumo de psicodrogas en un contexto totalmente distinto del tradicional. Sin embargo, junto a esos factores existe una característica de las nuevas generaciones desde la llamada Revolución Tecnológica y, más acentuadamente, después de las dos guerras mundiales: desarrollaron una gran avidez por la excitación, el placer fácil y el bienestar logrado sin sacrificio ni esfuerzo. Entonces, la pregunta más lógica no es, ¿por qué los jóvenes consumen drogas?, sino, ¿por qué las nuevas generaciones persiguen compulsivamente el placer, las vivencias excitantes y el bienestar rápido y fácil? Tenemos la impresión de que no se ha emprendido una búsqueda de respuestas a este planteamiento.

BIBLIOGRAFÍA

Gitlin, Todd *et al.*, *On Drugs and Mass Media in America's Consumer Society*, OSAP Prevention Monograph, núm. 6, Washington, D. C., 1990.

Nadelman, Ethan, "El problema de las drogas en los Estados Unidos: perspectivas posibles, futuros posibles", en *Vuelta*, núm. 203, México, octubre de 1993.

Secretaría de Salud, *Situación actual de las adicciones en México*, Consejo Nacional Contra las Adicciones, México, 1995.

¿Por qué algunos jóvenes consumen drogas?

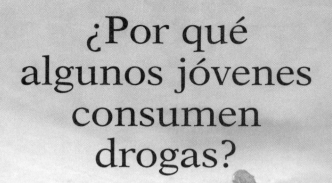

3

La juventud es siempre revolucionaria, aun cuando ella misma no sabe exactamente contra qué se rebela.

EDUARDO SPRANGER*

*__Eduardo Spranger__, *Psicología de la edad juvenil*, Editora Nacional (Edinal), México, 1959.

$\mathcal{E}$ n el campo de la medicina, como en otras ramas del saber, se llama **etiología** al estudio de las causas. No siempre tenemos a la mano una explicación única y completa de por qué contraemos alguna enfermedad, o de por qué empezamos a actuar de cierta manera. Las respuestas casi siempre son complicadas, como corresponde a la propia complejidad del ser humano. El médico ha aprendido a ser precavido en este asunto de la búsqueda de las causas de las enfermedades. Cuando se dice, por ejemplo, que la tuberculosis es un mal que causa el bacilo de Koch, se expresa sólo una parte de la verdad. Es cierto que sin la presencia de ese microorganismo en nuestro cuerpo no podemos hablar de la tuberculosis, pero la infección está condicionada por muchas otras circunstancias: no todos somos receptivos, ni todos los que lo somos desarrollamos la enfermedad. También con cierta razón se ha dicho que la tuberculosis es una enfermedad de la pobreza. Así pues, la etiología (de *etios*, causa) de la tuberculosis es más complicada de lo que le pareció al Dr. Koch cuando descubrió el bacilo responsable de las lesiones.

Sólo algunos jóvenes empiezan a consumir psicodrogas. La causa no es la sustancia misma, aunque sin su existencia no habría *drogadicción*. El asunto es aún más complejo que en el caso de una enfermedad infecciosa, porque intervienen factores orgánicos y sociales o culturales. La gente expresa sus preferencias por unas u otras explicaciones *aisladas* y por eso falla en la comprensión del problema. Pero el fenómeno del consumo de drogas psicoactivas tiene un origen polifacético, en el cual los diversos elementos responsables interactúan unos con otros. Por ello es que los expertos hablan de un modelo *integral* que intenta considerar todos los factores que llevan, o pueden llevar, a la iniciación en el consumo de drogas, a la continuación de esta práctica y la drogadicción propiamente dicha. Ese modelo, que constituye la explicación más completa con que contamos, reconoce que lo sociocultural es tan importante como lo psicológico individual y lo meramente físico. Una sociedad permisiva que no percibe la gravedad del fenómeno, un joven con ciertas características emocionales, un organismo fisiológicamente más receptivo, favorecen indudablemente el desarrollo de la adicción. Y aún hay que analizar cómo es que unos y otros factores se relacionan entre sí e influyen para que la vulnerabilidad se manifieste de manera reconocible en la conducta del consumidor de drogas. La familia, dentro de las influencias psicosociales, juega un papel a veces decisivo, aunque no puede juzgarse aisladamente si de veras se quiere entender el problema de manera integral.

Para saber por qué algunos jóvenes empiezan a consumir drogas, existe un recurso práctico: preguntémosle a ellos mismos. No hay duda de que sus respuestas tienen cierto valor, aunque con frecuencia damos explicaciones y razones de nuestros actos que, a pesar de nuestra sinceridad, no siempre corresponden a la verdad. Un muchacho puede decir que probó mariguana por curiosidad "para ver qué se siente", cuando bien puede ser que lo hizo por una necesidad de manifestar su rebeldía hacia sus padres, por debilidad ante la presión de los amigos o por otras causas. Numerosas encuestas se han hecho entre los adolescentes y jóvenes de diferentes regiones del mundo para saber qué los indujo a usar por primera vez una droga prohibida y sus razones para continuar su consumo. Las respuestas más frecuentes, pese a las diferencias culturales de los diversos países, son las siguientes:

1. Para satisfacer la curiosidad de saber qué se siente.
2. Para sentirse aceptado por el grupo de amigos.
3. Como una manifestación de rebeldía ante los adultos o como respuesta a un reto.
4. Como un acto de liberación frente a una prohibición injusta.

Algunos estudiosos del fenómeno coinciden en que hay explicaciones que los muchachos no aceptan abiertamente, pero que la investigación psicosocial puso al descubierto; entre ellas destacan las siguientes:

1. El consumidor simplemente busca los efectos placenteros de la droga elegida.
2. Al consumir la droga, y en virtud de sus efectos, el usuario consigue evitar o disminuir el estrés y rehuir ciertas responsabilidades.
3. El joven satisface deseos inconscientes que es posible conocer mediante los recursos de la psicología clínica.

Una reflexión sobre estos últimos tres puntos nos indica que se refieren más al consumo continuo de sustancias que a la explicación de por qué un individuo se *inicia* en esta práctica. Veamos ahora una por una las cuatro respuestas más frecuentes de los jóvenes.

LA CURIOSIDAD

Las preguntas y conducta de los niños mayores, en particular los preadolescentes, nos muestran con claridad su interés por el alcohol, el tabaco y las drogas ilegales, interés que forma parte de una actitud *normal* propia de esa etapa de la vida. Debemos tenerlo en cuenta, porque muchos adultos sostienen que es mejor no enseñarles prematuramente lo relacionado con las sustancias que modifican el psiquismo, en virtud de que podemos despertar su curiosidad. Parece más bien que lo conveniente es aceptar que esa curiosidad ya existe, y que lo más probable es que el niño encuentre respuestas equivocadas o malintencionadas en muchachos mayores, compañeros de escuela y hasta en adultos que actúan de buena o mala fe. A medida que el niño crece y pasa a la etapa de la pubertad, con el conocido desconcierto que causa en el varón la primera eyaculación y en la niña la primera menstruación, la curiosidad sobre ciertas cosas empieza a manifestarse en los deseos ya no sólo de saber sino de *experimentar*. Pero cuando decimos que conviene proporcionarles *cierta* información desde temprana edad, no nos referimos a los niños demasiado pequeños. A las preguntas de éstos hay que dar las respuestas adecuadas, pero *no más*. Ciertamente, en los países con un gran consumo de drogas, la información debe empezar más pronto debido a la propia situación sociocultural y a que el niño recibe mensajes de fuentes muy diversas.

Acerca de la información que debemos dar a los muchachos, la recomendación de los expertos varía de acuerdo con los resultados obtenidos. A partir de la década de 1960 se realizaron en los países desarrollados multitud de programas educativos en los que dominó la idea de enseñar a los adolescentes con toda objetividad sobre los hechos en torno a las drogas. Se preparó a los maestros de enseñanza media, se produjeron folletos, trípticos, libros, videos y filmes con información sobre los efectos de cada droga, los riesgos de su consumo, etc. Con el tiempo aparecieron reportes de investigaciones que parecían demostrar que no se obtuvieron los resultados esperados con esa estrategia, así como los peligros de provocar, de manera paradójica, una mayor curiosidad con inclinación a probar las drogas. Entonces se planteó una nueva estrategia: no hablar de las drogas en ningún momento y apelar a la exaltación y enseñanza de los valores universales, la práctica de los deportes, el desarrollo de actividades creativas dentro y fuera de la escuela, y cosas semejantes.

De todo lo anterior, los especialistas llegaron a conclusiones basadas en la experiencia y la evaluación sistemática de los programas educativos, que resumimos a continuación:

1. La educación como medida preventiva del consumo de drogas *por sí sola* da resultados positivos y comprobables, pero de *trascendencia relativa* en los términos más generales. Pese a ello, se *justifica el esfuerzo* sobre todo si, de acuerdo con lo que ya sabemos, se realiza *adecuadamente*.

2. La educación *con toda seguridad logra* que los jóvenes, maestros, padres de familia y la población en general, *sepan* cómo es que las drogas pueden dañar y cuál es su efecto en el individuo y en la sociedad. También favorece un *cambio de actitud* que propicia que los diferentes sectores de las comunidades participen en los programas activamente. Sin embargo, no es significativo el cambio que se logra en la conducta de los jóvenes y los adultos que ya *consumen drogas*. En otras palabras, quienes reciben una buena información aprenden sobre el asunto de las drogas, mejoran su actitud frente al problema y modifican, *en*

forma moderada, su propia conducta como consumidores de sustancias psicoactivas legales o ilegales.

3. De acuerdo con lo anterior, la conclusión general es que debemos seguir educando, evaluando siempre nuestras estrategias y sus líneas de acción. Por supuesto, hay que reconocer que no basta educar y que la información, ya sea escolarizada o proporcionada fuera del aula por los diferentes medios educativos, ha de formar parte de un programa integral que considere también la lucha contra la oferta de drogas, el tratamiento oportuno de los adictos y su reinserción en la sociedad.

4. No se puede evitar hablar a los jóvenes sobre los efectos de las drogas. Hay que volver a la posición original, pero en forma inteligente, con base en los nuevos conocimientos. Ahora sabemos *cuánto* y *cómo* debemos informarles, así como los temas que *no* debemos tratar. Por ejemplo, una regla totalmente aceptada hoy es que nunca informemos a los muchachos sobre drogas que no se conozcan en su medio y mucho menos que no se consuman. También hay que evitar exagerar excesivamente, seleccionando los mensajes según la edad y condición de los receptores.

5. La educación debe extenderse a la población entera por todos los caminos conocidos.

a) Los medios de comunicación masiva: televisión, radio, periódicos y revistas, folletos especializados, carteles.

b) Los programas aplicados en la escuela propios de cada grado escolar, previa capacitación de los profesores en servicio.

c) Los cursos dirigidos a profesionales y especialistas (médicos, psicólogos, enfermeras, sociólogos).

d) Otros: actividades instructivas en clubes, grupos especiales, lugares de recreación para jóvenes, etcétera.

Tenemos ahora una visión más amplia de lo que debe ser la educación en este campo. Los especialistas recomiendan lo siguiente. La educación como acción preventiva de las adicciones comprende cualquier medida que tienda a desarrollar en los individuos, particularmente en los adolescentes, la capacidad, actitud y voluntad de evitar el consumo de cualesquiera drogas que causan dependencia. Los padres de familia son los principales educadores de los adolescentes, tan efectivos como lo hayan podido ser en las etapas previas al desarrollo de sus hijos. Junto con los maestros deben enfrentar el reto de conocer los hechos principales en torno a las drogas más utilizadas en el medio en que viven.

Ya lo hemos dicho: no podemos dejar de trasmitir un conocimiento mínimo sobre los efectos que produce cada droga en el organismo y en el psiquismo de los individuos y su acción negativa sobre la familia y la sociedad. En apoyo de lo que el padre de familia debe saber sobre este punto, hablaremos más adelante de cada droga en particular, especialmente algunas de mayor riesgo.

LA ACEPTACIÓN EN EL CÍRCULO DE AMIGOS

Sobre este punto se generaliza de manera inaceptable. Es evidente que si en el grupo de amigos no se consumen drogas, no existe presión alguna sobre el adolescente. No sólo eso, es obvio que en este caso sus camaradas serán la mejor protección contra la posibilidad de recibir ofertas y de ser incitado a aceptarlas. Así pues, los compañeros son o no ese riesgo del que algunos muchachos hablan, e incluso pueden ser un factor protector. Además, recordemos que la gran mayoría de los adolescentes de nuestro medio ya consumió drogas ilegales. El tabaco y alcohol son casos diferentes que merecen consideración aparte. Por otro lado, no existe una incompatibilidad tajante entre no aceptar una droga y formar parte de un grupo en el que sí se consume. Por ejemplo, muchos jóvenes que no usan drogas se integran a grupos musicales en los que algunos de sus compañeros incluso son adictos. Lo contrario, aunque menos frecuente, también es cierto: un fumador habitual de mariguana no está necesariamente proscrito entre sus amigos no fumadores. Por tanto, no siempre se puede asegurar que la droga se acepta por el temor al rechazo del grupo, aunque es la explicación de muchos jóvenes sobre su inicio en el consumo y la habituación a una o más sustancias.

En el proceso de hacerse adulto es muy importante lograr un buen sentimiento de identidad, como lo es también alcanzar una buena capacidad para la intimidad. Aquí sólo señalaremos que todo niño que llega a la pubertad e inicia sus años de adolescencia, siente la necesidad de ser aceptado por los demás e incluso ser atractivo a los integrantes de su grupo escolar, compañeros de deportes o juegos, vecinos, etc. Son sentimientos y emociones absolutamente normales, al punto de que su ausencia puede ser motivo de preocupación para los padres y maestros. El aislamiento, el sentimiento de inadecuación, el ensimismamiento, forman parte del carácter poco sociable de quienes perciben de manera enfermiza la necesidad de aceptación o el temor a ser rechazados. Los padres pueden ayudar a sus hijos a tener conciencia de esas necesidades espirituales, aceptarlas y manejarlas. Al mismo tiempo, deben apoyarlos en el desarrollo de la voluntad y firmeza indispensables para no ceder en sus convicciones, sin que ello signifique la ruptura de la amistad con quienes piensan y actúan de manera diferente.

Los sentimientos de identidad e intimidad, como lo hemos dicho, han de integrarse al desarrollo psicosocial justamente durante la adolescencia. El adulto debe reconocer que, como parte de ese proceso, es natural que los muchachos quieran pertenecer al grupo de amigos de su misma edad. Si no fuera así, ¿cómo alcanzarían su separación gradual de la protección e influencia de sus padres con el fin de lograr su autonomía completa? El joven, en la búsqueda de su identidad, quizá temporalmente no logre saber quién es realmente y lo que espera de la vida, pero sí sabe *lo que no es él aún*: *no es adulto, pero ya no es un niño*, ¿tiene algo de extraño que busque su identidad en otro que en buena medida *es él mismo*, es decir, otro que también busca saber quién es? Por eso, el grupo de amigos de la escuela y del barrio ocupa un lugar tan importante en la vida del adolescente. Los padres y maestros lo saben bien, pero no siempre proceden conforme a este conocimiento, debido en parte a una especie de olvido de su propio paso por esa etapa de la vida. Un buen consejo es que traten de recordar los estados de ánimo y las peripecias que vivieron, práctica que sin duda los acercará con mejor comprensión a sus hijos y alumnos.

Un hecho real es que en el grupo al cual quiere pertenecer el chico se empieza a consumir, así sea ocasionalmente, alcohol y tabaco, con la posibilidad siempre presente de que uno o más de los compañeros usen drogas ilegales. Hoy, este es un riesgo que los padres *tienen que correr* con sus hijos, pues sería incorrecto obstaculizar su autorrelación y gradual independencia. Pero no se piense que los padres tienen una tarea imposible o extremadamente difícil. Su mejor guía es el cariño incondicional hacia sus hijos ligado a la fe en su desarrollo, que debe traducirse en una actitud y un comportamiento *visibles* y *comprobables*. No basta con experimentar ese afecto paternal, debemos *mostrarlo* y acompañarlo de nuestra confianza en que finalmente ellos encontrarán el camino seguro hacia la madurez. Es una expectativa activa (si fuera congruente tal expresión), porque nuestra confianza debe manifestarse en acción: el cultivo de la verdadera *comunicación* y la intervención *informativa* sobre las drogas y sus efectos. Los padres se sentirán más estimulados para actuar, al saber que los estudios recientes señalan que la mayoría de los jóvenes *prefieren* obtener información sobre éste y otros tópicos importantes *en el hogar*, contrariamente a lo que cabría esperar dado su interés en el grupo de amigos. Este conocimiento justifica la inclusión de un breve apartado sobre la comunicación intrafamiliar.

Pese a los deseos de mayor libertad de los chicos, deseos que hay que atender con flexibilidad y paciencia, los padres *no deben perder su influencia*, aunque ésta no se manifieste en la misma forma que antes. No es el autoritarismo unilateral lo que ha de imperar; ello favorecería el choque entre generaciones y la ruptura de la armonía familiar. La pérdida de la influencia puede llevar a la indiferencia cómoda y aun a la negligencia, enemigos de la buena educación impartida en el hogar. Las siguientes premisas, que establecen un proceder acertado, resumen lo anterior:

1. La aceptación incondicional de nuestro hijo, tal como él es.
2. La confianza en su conducta conforme crece y se independiza.
3. La responsabilidad que nos corresponde ante su desarrollo, reconocida plenamente.
4. La participación positiva en actividades planeadas conjuntamente con él.
5. La guía, mediante el ejemplo, hacia una conducta saludable. El consejo y la orientación deben ser respetuosos de la individualidad del joven que busca su lugar en el mundo.

Si los padres se conducen en el hogar conforme a estas recomendaciones, de manera indirecta y acertada estarán reforzando la voluntad de sus hijos para rechazar las invitaciones a consumir drogas. No hay duda: a mayor unión familiar, mejor capacidad de los jóvenes para evitar conductas insanas. Al actuar como aquí se señala, no se educa contra la drogas, *se educa para una vida mejor*. Por supuesto, un subproducto de este logro es que el joven no se desvíe hacia comportamientos "de escape" que son, por definición, erróneos. Pero hay que recordar que la creación de una atmósfera positiva en el hogar es un proceso que consume tiempo y que amerita continuidad en las acciones. Cuando los hijos alcanzan la pubertad e inician esa etapa vital que tanto preocupa a los padres, parecería que la estabilidad emocional intrafamiliar lograda hasta entonces corriera peligros insospechados. No tiene por qué ser así. Con la fe contagiosa de los adultos de su progreso hacia la vida adulta, los adolescentes se sentirán seguros pese a las dudas pasajeras que son normales en esa edad.

La falta de confianza se manifiesta en expresiones y conductas que los chicos perciben con gran sensibilidad. Por ejemplo, cuando presentan a su padres algún amigo o amiga que no coincide en actitud y aspecto con lo que ellos desean para sus hijos, temen abierta o secretamente su posible reacción de rechazo. Al mismo tiempo "prueban" a sus familiares sobre la verdad e incondicionalidad de su amor. Es como si dijeran: "Si me quieres, acepta a mis compañeros." Un padre, una madre, harán bien en aprobar *de principio* al nuevo amigo, dándole una cordial acogida *aunque la primera impresión no sea buena*. Deben tratar de identificar las cualidades o características que su hijo admira en ese compañero, para luego tener la oportunidad de hacer comentarios pertinentes que inviten a la reflexión y al diálogo. Pero el rechazo y la desaprobación, sin más, sólo sirven para que su chico se sienta mal y decida continuar esa amistad con mayor interés que antes, probablemente de manera oculta. La mejor forma de saber si se trata de una relación amistosa conveniente es conocer más a fondo a la persona, admitirla abiertamente y procurar que el hijo obtenga sus propias deducciones; cualquiera que sea la conclusión a la que lleguen los padres, será a través del conocimiento directo del amigo y después de un intercambio de ideas. Con frecuencia, el primer juicio se modifica pero, aunque ello no ocurra, la opinión formada tendrá una base real y no se fundará en una simple impresión.

Una plática con el hijo o hija adolescente sobre la posibilidad de recibir presiones de los amigos para consumir una droga, ha de servir para convencerlo de que la negativa debe ser clara y terminante aunque no necesariamente áspera u ofensiva. El adolescente podrá comprobar que si lo hace bien, no significará en ningún caso la pérdida de relaciones amistosas con quienes no piensan igual que él. Y es de esperar que la selección de sus compañeros se desarrolle de manera natural, sin violencias ni confrontaciones desagradables. De todos modos, el asunto de los amigos que han de preferirse suele provocar diferencias en el hogar, y la mayor recomendación a los padres es que propicien las situaciones en las que sus hijos puedan hacer comparaciones entre unos y otros. No sirven los juicios impuestos que más bien provocan reacciones opuestas. Los chicos deben llegar a sus propias conclusiones; los adultos podemos favorecer el proceso, lo que no se logra con juicios tajantes ni con el rechazo sin justificación.

LA REBELDÍA

Durante su crecimiento físico y su desarrollo psicosocial, el niño adquiere destrezas mediante los errores y aciertos. Es difícil para el adulto recordar que mucho de lo que ahora hace casi sin pensar, representó en su momento un verdadero reto, significó un riesgo o incluso ameritó una gran voluntad para vencer el temor de hacer las cosas por primera vez. Al llegar a la pubertad casi todo se convierte en descubrimiento y amerita decisiones que algo tienen de riesgosas, de "amenaza" a la felicidad infantil, aquélla que se obtiene con sólo ser pasivo y dependiente de las decisiones de los adultos. El cambio de nivel escolar, la adquisición de nuevas obligaciones, la competencia y cooperación con otros chicos, el deporte que implica contacto físico, violencia y agresividad, etc., colocan al adolescente en una situación no experimentada antes. Su capacidad de abstracción que en esta etapa aumenta notablemente, lo hace especular sobre asuntos hasta el momento no pensados, como el de su lugar en el mundo, su capacidad y sus limitaciones, la existencia de Dios, y otras. La vida se convierte en un reto permanente, en una posibilidad abierta a muchas acciones que tendrán que realizarse sin la tutela familiar. Al mismo tiempo que se experimentan momentos de gran felicidad con el descubrimiento de las cosas más bellas y gratificantes, se pasa por otros de temor, desaliento y verdadero sufrimiento. Por algunos años, el niño-joven vivirá con tales sentimientos, mientras se arraigan sus rasgos de carácter y las características de su personalidad ya definida.

Las relaciones sociales, las situaciones cotidianas en la escuela y en otros lugares fuera del hogar, dan al adolescente oportunidades de probarse, que se perciben como retos, como territorios que deben conquistarse. Es aquí que toman un lugar especial los actos prohibidos por los adultos, porque su ejecución no es una mera oposición, sino también la expresión de la libertad personal que va ganando frente a las limitaciones impuestas por los padres y la autoridad. Después de todo, crecer, acercarse a la vida adulta, es empezar a hacer lo que está vedado a los niños pero permitido a los adultos. ¿Cuándo se puede llegar tarde al hogar?, ¿a qué edad se permite salir con amigos, tomar una copa, decidir a dónde ir, etc.? Los pasos que se dan más allá de los límites establecidos parecen ser la medida de su crecimiento, la comprobación de su desarrollo, la prueba de que ya no se es un niño. Los padres no deben alarmarse por las transgresiones a las reglas cuando no son trascendentes, aunque les asiste el derecho de imponer castigos si el hecho lo amerita. Pero deben estar alertas ante la posibilidad del consumo de drogas y mostrarse siempre dispuestos al diálogo sobre éste y otros asuntos que sus hijos deseen tratar.

Por sus características personales (psicológicas y físicas) y por el medio en el que se desarrollan, algunos chicos se exponen a más y mayores riesgos. No les quedan muy claros los límites, la frontera entre lo que se puede intentar (aunque no esté plenamente aprobado por sus padres) y aquello otro que moral o legalmente es indeseable por sí mismo. No están seguros de las reglas y la base moral que las origina y les da valor, ni de la importancia de respetarlas o lo que puede ocurrir si se transgreden. Estos son los jóvenes proclives a las actividades riesgosas, incluidas las que se relacionan con el consumo de alcohol, tabaco y drogas ilegales. Parecen necesitar la experimentación de nuevas sensaciones en forma indiscriminada, y su "necesidad" se estimula y satisface en los ambientes creados para ellos por la técnica moderna. El consumismo actual se refiere no sólo a la adquisición de objetos innecesarios o extrautilitarios, sino también al agotamiento de cuanta posibilidad exista (o se establezca intencionalmente) de divertirse sin considerar los riesgos, o más bien *ocultándolos*.

Otros muchachos, afortunadamente la gran mayoría, no tienen esas características, pero están expuestos igualmente a los factores negativos creados por la "modernidad". No estamos diciendo que la época actual sólo implica peligros o que, como algunos proclaman, se han perdido los valores morales, si así fuera, parecería justificarse la actitud de que ya no hay nada que hacer, o de que sólo nos queda confiar en que nuestros hijos no se aparten del buen camino. ¡Claro que podemos, y debemos, hacer mucho! Nada de rendición incondicional ante las amenazas al desarrollo normal y positivo de los muchachos y muchachas de hoy, en el medio en que les ha tocado vivir. Para empezar, los padres de familia tenemos la obligación de saber dar respuesta a las interrogantes sobre diversos temas, uno de ellos especialmente delicado, el del consumo de las drogas que causan adicción y daños irreparables al individuo y a la sociedad. Esta pequeña obra intenta llenar algunos de los huecos que por lo general tenemos acerca del asunto, pero evidentemente no agota el tema. Por ello, deseamos que además cumpla con otro de sus propósitos: motivar a los padres de familia a buscar más información útil para mejorar su papel de educadores en el hogar y para participar activamente en los programas preventivos.

Los riesgos y los retos, pues, están ahí frente a los jóvenes. Y no podemos removerlos según nuestras expectativas y deseos. Pero si como padres y buenos educadores somos afectuosos y aceptamos de veras a nuestros hijos en esta etapa de sus vidas, si somos objetivos en nuestras perspectivas sobre su futuro, si nos mostramos diligentes al *vigilar* su comportamiento fuera del hogar y si, en fin, dedicamos buena parte de nuestro tiempo en ellos, podemos confiar en que su progreso hacia la edad adulta será continuo y firme, pese a los malos momentos que sin duda se presentarán. Es cierto, el riesgo de que los muchachos de hoy consuman sustancias que pueden dañar sus vidas es mayor que en el pasado. Debemos hacer un esfuerzo inteligente para convencerlos de que esa conducta es inaceptable. Para tener éxito, es preciso contar con su confianza plena en nosotros, su fe en que estaremos con ellos en todo momento *pase lo que pase*.

LA LIBERTAD AMENAZADA

En el momento de escribir estos párrafos, es fácil advertir que existe un movimiento bien organizado y cada vez más agresivo en muchos países occidentales a favor de la legalización de las drogas, o de algunas de ellas. Uno de los argumentos que más emplean quienes desean esa medida es el que se refiere al daño que la prohibición produce sobre la libertad individual para consumir cualquier cosa, aunque finalmente le cause algún trastorno personal. La discusión sobre este tema lleva ya más de 100 años, pero el argumento se ha retomado, en parte porque algunos creen que es correcto, pero también porque los "legalizadores" saben que a quienes más convencen es a los jóvenes. No ignoran que los valores más estimados por ellos son la *fidelidad* (a una causa, a una idea, a un amigo) y la *libertad* entendida como independencia para actuar conforme a los deseos personales. La verdad es que, si usar drogas que nos provocan placer *sólo* llegara a dañar nuestras propias vidas, habría (sin conceder) alguna defensa del argumento original. Pero todos sabemos que el consumo de sustancias psicoactivas daña al consumidor, a su familia y a la sociedad entera. ¿O es que, en aras de una mera argumentación vamos a olvidar que muchas drogas producen cambios psicológicos peligrosos para los demás?, ¿que el daño a la salud personal repercute en la economía y en el bienestar de todos?, ¿que los accidentes en el hogar, en el trabajo, al conducir intoxicado, dañan no sólo al adicto, sino también a terceras personas?

Quien desea, por curiosidad, saber qué le ocurre si prueba el peyote, los hongos alucinógenos, o la LSD, por ejemplo, *debe saber* que una de las posibles reacciones es entrar en un estado de psicosis, que pone en riesgo su vida y *la de los demás*. Si se trata de las llamadas nuevas drogas "de diseño", como las metanfetaminas (éxtasis o tacha, *ice*, etc.), no es tan remota la posibilidad de sufrir una muerte súbita, suceso que está plenamente documentado. La mujer embarazada que consume alcohol, cocaína o mariguana con regularidad, expone a su futuro hijo a daños muy graves que pueden, incluso, significar su muerte. El consumo de mariguana disminuye la capacidad para manejar un vehículo y para operar maquinaria peligrosa, efectos perfectamente conocidos y estudiados. ¿Es justo olvidar todos estos *hechos* y sostener que en última instancia sólo hay efectos negativos en el consumidor? ¿Es más valiosa su libertad personal que la seguridad de los demás? Sabiendo que esto ya se comprobó a plenitud, este argumento sobre la libertad debe desecharse completamente.

Revisemos ahora, aunque sea resumidamente, las tres explicaciones más frecuentes que dan los especialistas sobre las causas del consumo de drogas entre los jóvenes. Las señalamos al principio de este capítulo, pero hay que recordar que no valen como respuesta a la pregunta de por qué los muchachos *empiezan* a usar una sustancia psicoactiva sino, más bien, a la interrogante de *por qué continúan usándola.* Principalmente, del campo del psicoanálisis se dan respuestas que, en términos generales, son variaciones de una misma premisa: el joven satisface así deseos inconscientes (es decir, deseos que no puede conocer consciente y objetivamente), que pueden ser descubiertos por el psicoanálisis o en el curso de una psicoterapia interpretativa.

El consumidor simplemente busca los efectos placenteros de la droga elegida. Este señalamiento de algunos expertos es casi una copia de la definición de la dependencia psicológica. Recordemos aquí que para efectos didácticos suele distinguirse entre adicción psicológica y fisiológica. La primera, se dice, ocurre cuando la persona se siente compelida a consumir la droga con el fin de experimentar reacciones que le son placenteras, y tiene la necesidad de realizar esa búsqueda periódicamente. La dependencia fisiológica se presenta cuando, además, el consumidor sufre síntomas desagradables, a veces insoportables, si pasa un tiempo sin recibir la sustancia a la que es adicto. En esta segunda forma de hábito se habla de la presencia de un síndrome de supresión al que nos referimos al hablar del alcohol y de otras drogas. Lo que en realidad ocurre en ambos casos es que las células del cerebro (neuronas) que reciben la sustancia adictiva, reaccionan produciendo ciertos cambios bioquímicos que en conjunto reciben el nombre de *neuroadaptación.* Es como si las neuronas aprendieran a convivir con el tóxico, adaptándose a su presencia habitual.

Independientemente de que desde los primeros consumos aparecen también algunos efectos desagradables, es un hecho que quien busca la droga obtiene cierta forma de placer al ingerirla. Nada tiene de extraño que desee repetir estos actos que no solamente provocan las respuestas psicológicas esperadas, sino que se acompañan de vivencias agradables por la situación en que se realizan: la fiesta, la música, la compañía de los amigos, etc. El peligro siempre presente es pasar a etapas más graves de la dependencia, en las que se adquiere la compulsión a ingerir la droga y la incapacidad de abstenerse. Ya lo hemos dicho: con la droga generadora de placer se va de la luna de miel a la esclavitud de *tener que consumirla* a pesar del sufrimiento que llega a provocar. *El consumo de droga evita el estrés y las responsabilidades.* Apenas si amerita una explicación este aserto que proviene de la observación de los hechos. La droga que mejor sirve para ilustrar esta verdad es la mariguana, sólo hay que recordar lo que en este libro decimos de sus efectos. En medicina y psicología se da el nombre de **estrés**, tanto a los estímulos nocivos que provocan sufrimiento como a la respuesta que el organismo y el psiquismo presentan ante ellos. El término es, de hecho, la castellanización de la palabra inglesa *stress*, cuyo abuso es notable en el lenguaje común, al punto de que se confunde con otros conceptos psicológicos. La vida normal y los hechos cotidianos provocan estados no siempre placenteros pero que son inevitables y asimilables sin mayor sufrimiento. Si no existieran esas emociones desagradables, simplemente no tendríamos manera de identificar lo que nos resulta dañino o peligroso y, quiérase o no, forman parte de la existencia del hombre como ser vivo que tiene ciertas características radicalmente diferentes de las del resto de los animales.

A veces los estímulos nocivos, lo mismo si son físicos que psicológicos, provocan sufrimientos mayores por su intensidad o duración. En ese caso, la respuesta emocional puede ser exagerada y dolorosa. Ciertas drogas psicoactivas adictivas alivian o desaparecen tales efectos, de tal modo que se tiende a su consumo periódico o continuo cuando el estrés es permanente o muy frecuente, como ocurre con la angustia y la depresión. Concomitantemente, los efectos benéficos pueden servir para responder ante las responsabilidades vitales de una manera negativa: simplemente disminuye o desaparece la preocupación normal que nos impulsa a enfrentar con decisión nuestros deberes y obligaciones. La indiferencia y aun la negligencia pueden ser las resultantes de esa falta de respuesta vital sana; por último, se especula que eso es precisamente lo que establece el hábito. Sin embargo, nosotros diremos que si bien así puede ocurrir en algunas personas, los factores que influyen son numerosos y en ningún caso la identificación del más importante es así de sencilla. Se adopta una posición que mutila la realidad cuando se dan explicaciones simples de problemas tan complejos como el de la drogadicción.

La satisfacción de deseos inconscientes. No vamos a detenernos demasiado en este tema, pero no podemos omitirlo sólo porque falta la evidencia científica que lo compruebe. El psicoanálisis, como se sabe, es un método de conocimiento de las motivaciones inconscientes, así como una forma de psicoterapia que tiene indicaciones específicas y que lo suministra un profesional que se ha preparado durante años en la teoría y práctica de este singular campo de la psicología. Lo inconsciente es todo aquello de lo cual no somos conscientes, en el sentido de que no nos damos cuenta de su existencia. Parte de nuestras vivencias y motivaciones se llevaron al inconsciente mediante una acción psicológica que Freud, autor de la teoría, llamó *represión*. Lo importante aquí es señalar que todo lo que ha sido reprimido actúa sin nuestro conocimiento, de tal manera que dirige parte de nuestra conducta, es decir, que mucho de lo que hacemos o dejamos de hacer es producto de esos estímulos. Así pues, en cierta medida nuestros actos cotidianos, ideas y sentimientos están influidos por las motivaciones que hemos reprimido y que por tanto *no conocemos*.

El proceso psicoanalítico intenta llevar a la conciencia el material reprimido. No debe extrañarnos que los psicoanalistas hablen de las motivaciones inconscientes que las personas tienen, o pueden tener, para iniciarse en el consumo de drogas, adquirir el hábito y llegar a la verdadera adicción. Lo que se ha dicho al respecto es interesante sin duda. Desafortunadamente, algunos de los más destacados psicoanalistas propusieron explicaciones que aspiraban a ser universales, o por lo menos así se interpretó. Por ejemplo, durante muchos años se prestó atención a cierta teoría que proponía la existencia de una homosexualidad latente en los alcohólicos. Las evaluaciones que se han hecho de estas generalizaciones nos muestran que, si bien en algunos casos la teoría es aplicable y parece explicar la conducta del adicto, lo cual puede ser de gran ayuda para el tratamiento, la mayoría de las veces no es así. Por ello es que hay diferentes explicaciones psicoanalíticas y no una sola que pueda aplicarse universalmente.

La conclusión a la que llegamos es que algunos psicoanalistas proponen la tesis general de que las personas consumen drogas por razones que se desconocen, pero que son las verdaderas fuentes de su conducta. Junto a esta explicación universal existen diversas teorías que establecen los procesos mentales necesarios para que las motivaciones inconscientes produzcan el comportamiento del adicto. En tales explicaciones suele darse un significado especial a la droga, al modo de consumirla y al efecto producido. También se atiende a los rasgos de personalidad adquiridos, a las relaciones emocionales con las figuras que son significativas para el sujeto, etcétera.

La búsqueda de los rasgos de personalidad más comunes entre quienes consumen drogas ha llevado a otros destacados psicoanalistas a tesis insostenibles, que estudios cuidadosos han desacreditado definitivamente. Hoy sabemos con certeza que no existe nada que pueda llamarse "personalidad alcohólica" o "adictiva" como algunos han propuesto. Sin embargo, ciertas investigaciones en gran escala demuestran que, efectivamente, algunos rasgos del carácter están presentes de *manera más frecuente* (nada más) en quienes deciden iniciarse en el consumo de drogas psicoactivas (no necesariamente en los adictos). Los rasgos más mencionados son: impulsividad, bajos autoestima y autorrespeto, incapacidad para posponer satisfacciones, mal manejo de la propia angustia, la agresividad y los conflictos. Pero, una vez más, recordemos que todas estas características pueden estar presentes en una persona y no ocasionarle inclinación alguna hacia las drogas. Y lo opuesto también es verdad: una personalidad sana en lo general, no es garantía de inmunidad ante el consumo de sustancias psicoactivas. Remitimos al lector a la breve referencia que hacemos sobre los riesgos, donde encontrará los resultados a los que se llegó en estudios rigurosos. Concluyamos: la respuesta a la pregunta de por qué ciertos jóvenes se inician en el consumo de drogas está aún por expresarse en *términos seguros*, pero no hay duda de que será una respuesta compleja, como complejo es el fenómeno de la farmacodependencia.

Sobre este punto no diremos más. Señalaremos, sí, que como parte de un tratamiento integral del adicto, la psicoterapia orientada psicoanalíticamente es de gran utilidad cuando la proporciona un profesional bien preparado. Como se trata de una terapia que se suministra durante un tiempo prolongado es, necesariamente, un *coadyuvante* de las otras medidas (médicas, *psiquiátricas*) que se deben tomar desde el inicio del tratamiento.

50

BIBLIOGRAFÍA

Erikson, Erik H. K., *Childhood and Society*, 2a. ed., Norton, Nueva York, 1963.
____, *Insight and Responsibility*, Norton, Nueva York, 1964.
____, *Sociedad y adolescencia*, 2a. ed., Siglo XXI, México, 1974.
Fromm, Erich, *Psicoanálisis de la sociedad contemporánea*, Fondo de Cultura Económica, México, 1956.
Klapp, Orrin E., *Collective Search for Identity*, Rinehart and Winston, Londres, 1969.
Lorand y Schneer, dir., *Adolescents Psychoanalitic Approach to Problems and Therapy*, Harper and Brothers, Nueva York, 1961.
Miller, Derek H., *The Drug Dependent Adolescent, Adolescent Psychiatry*, Feinstein y Giovacchini, Basic Books, Inc., t. 2, Nueva York, 1973.
Muuss, Rolf E., *Teorías de la adolescencia*, Paidós, Buenos Aires, 1966.
Organización Mundial de la Salud, *Necesidades de salud de los adolescentes*, Informe de un comité de expertos de la OMS, Ginebra, 1977.
Secretaría de Salud, *Información básica para la educación y la comunicación social en el campo de la farmacodependencia*, Consejo Nacional contra las Adicciones, México, 1993.
____, *Orientación para las familias*, Consejo Nacional contra las Adicciones, folleto elaborado por el Instituto Mexicano de Psiquiatría, México, 1993.
____, *Manual destinado a los orientadores de prevención de alcohol y otras drogas, para su intervención y apoyo a las familias que se enfrentan a problemas de consumo excesivo de sustancias en sus hogares*, México, 1995.
Velasco Fernández, Rafael, *El camino hacia la salud mental. La teoría de Erik H. Erikson*, El Colegio de Sinaloa, Culiacán, Sinaloa, México, 1995.

4

Los riesgos

Millones de seres humanos, principalmente
jóvenes, han sido esclavizados por un hábito
que los destruye física y moralmente.

OCTAVIO PAZ

E l uso de sustancias que pueden causar adicción es un fenómeno aún sujeto a estudio. Aunque es mucho lo que sabemos, queda todavía un campo desconocido que la ciencia va conquistando lentamente. Hasta ahora, el trabajo más sólido se ha realizado en la investigación de las características químicas de las drogas y su acción sobre el organismo humano. Las respuestas psicológica y fisiológica que provocan las sustancias adictivas en los seres vivos es objeto de un estudio continuo, cada vez conocemos mejor los hechos reproducibles, comprobables y en muchos casos cuantificables, relacionados con los efectos propios de cada sustancia. Los aspectos socioculturales y psicológicos individuales, que influyen para que un individuo se inicie en el consumo de las drogas adictivas, constituyen también un campo de investigación en el que intervienen miles de psicólogos, pedagogos, sociólogos y antropólogos de todo el mundo. Junto con los conocimientos obtenidos en los laboratorios de investigación genética, diríase que se integra un cuerpo impresionante de datos de carácter interdisciplinario.

Sin embargo, todavía queda mucho por saber. Nos hacen falta estudios que muestren cómo es que los factores causales interactúan unos con otros. Sobre todo, debemos ocuparnos de los mecanismos internos, psicológicos y biológicos que ocurren en el ser humano para motivarlo a consumir sustancias que si bien le causan placer al principio, lo convierten en esclavo después. ¿Qué lo lleva a seguir con un hábito que *sabe* que le causa un daño que puede ser grave? No tenemos las respuestas *completas*, sólo conocimientos parciales y los más sólidos se refieren al medio en el que vivimos. No obstante, muchos estudios nos permiten señalar los principales riesgos que acechan a nuestros jóvenes y que, si no se evitan, pueden llevar al consumo de drogas capaces de crearles adicción.

Por razón natural y como resultado del desarrollo, los niños tienen que aprender a enfrentar riesgos. Las experiencias desagradables, el dolor, la angustia y el temor a lo no experimentado, son elementos que los preparan para enfrentar con mayor o menor seguridad los "peligros" que la vida pone ante ellos. Hemos entrecomillado la palabra porque las situaciones novedosas no siempre lo son, aunque así las perciba el chico que pone a prueba sus capacidades ante su medio. El dolor y la angustia son necesarios para ese crecimiento natural. Sin ellos, un niño pequeño perecería en cuanto se alejara un poco de los cuidados maternos. Por lo menos son necesarios para una forma de aprendizaje que compartimos con los animales inferiores, a la cual algunos psicólogos describen como el método del ensayo y error. Por cierto que esto no se aleja mucho de lo dicho por Freud acerca del principio del placer: "Todo lo que me provoca placer es bueno", válido para una cierta etapa del desarrollo infantil.

Los adultos podemos ayudar a los niños a adquirir habilidades ante la necesidad de tomar riesgos. Esa posibilidad implica una gran responsabilidad: *tenemos* que intentarlo como parte del proceso educativo en el hogar y *debemos* obtener resultados satisfactorios suficientes para facilitar el desarrollo de la autonomía de nuestros hijos. No intentarlo sería negligencia, no tener éxito sería propiciar dependencia. Como en tantos otros aspectos de la educación, los excesos de los adultos provocados por sus propias deformaciones constituyen graves obstáculos. Una madre demasiado preocupada por la salud de su hijo o excesivamente solícita en la atención de las necesidades que el niño ya sabe satisfacer, puede generar en él lo que en psiquiatría se conoce como "ansiedad de separación", que es una fuente de sufrimiento para ambos. Por el contrario, una madre poco aprehensiva o francamente despreocupada, puede establecer una relación negligente con sus hijos, quienes enfrentarán los riesgos inevitables de la vida sin más apoyo que la experiencia que le van dejando sus propios aciertos y fracasos.

Existen factores de riesgo para cada enfermedad y grupos de padecimientos de origen común o parecido. En muchos casos están plenamente identificados cuando las causas se conocen suficientemente. Así ocurre con las enfermedades hereditarias y con gran parte de las de origen infeccioso. Las medidas preventivas son entonces simples y a menudo muy satisfactorias. Por ejemplo, vivir en una zona en la que la tuberculosis es un mal endémico, constituye un alto riesgo para adquirir la enfermedad, pero la vacunación a tiempo protege lo necesario. Hay padecimientos cuya etiología es polifacética y por tanto explicada, como es el caso de la drogadicción, de acuerdo con lo que hemos dicho. Los indicadores de riesgo son de naturaleza biológica, psicológica y social, por tanto su identificación es menos confiable y la prevención más compleja. Por otra parte, tales indicadores varían su valor predictivo según las diferentes culturas y de acuerdo con las etapas históricas, por lo que su identificación sólo se logra mediante la investigación científica adecuada.

En México se han realizado estudios que nos permiten conocer indicadores de riesgo para el consumo de drogas, como los publicados por la psicóloga María Elena Castro Sariñana en 1990, que efectuó en una población escolar de los niveles de enseñanza media. Para su presentación, se dividen en dos grandes grupos: aquellos que se relacionan principalmente con el medio familiar y social, y los que dependen más de las características propias del adolescente. En cuanto al primer grupo, destacan los siguientes:

1. El hecho de que el joven viva en la Ciudad de México, o en los estados de Sonora, Baja California y Sinaloa.
2. La disponibilidad de la droga en lugares públicos, la escuela, la calle o el propio hogar.
3. Pertenecer a una familia ordenada.
4. El consumo de alcohol u otras drogas por parte del padre o los hermanos.
5. La falta de comunicación, apoyo y control de los padres.
6. La convivencia con grupos de amigos que consumen alcohol u otras drogas.
7. La tolerancia de la escuela hacia el consumo de drogas y otras actividades insanas, y la ausencia de control de la autoridad.

Estos indicadores se complementan con otros cuya identificación ha propiciado la publicación de folletos y trípticos útiles como material preventivo para los padres de familia y los propios jóvenes. Enseguida se presentan en forma de formulario que los jóvenes pueden resolver solos o en compañía de sus padres:

- En mi familia hay muchos problemas y todos nos llevamos mal.
- No tengo con quién hablar de mis preocupaciones.
- En mi hogar se consumen frecuentemente alcohol y a veces otras drogas.
- De plano "no la hago en nada".
- No sé por qué no he alcanzado mis metas en la vida.
- En mis ratos libres no encuentro algo interesante que hacer.
- Yo no consumo drogas, pero tengo amigos que sí lo hacen y llegan a ofrecérmelas.
- Yo creo que las drogas no hacen tanto daño como dicen.
- En mi casa no se habla de temas como el sexo, las drogas y los problemas familiares.
- Casi nunca estoy conforme con lo que hago o digo.
- No practico ningún deporte.
- Soy muy arriesgado y "le entro a todo".

Los factores que protegen al joven contra el consumo de drogas son, como cabría esperar, los opuestos a los anteriores (hasta donde podemos hablar en estos términos tratándose de problemas tan complejos):

- Vivo en el seno de una familia bien integrada.
- Mi familia me quiere y me apoya en todo lo que hago.
- Mis padres beben ocasionalmente con responsabilidad y no consumen drogas.
- Me gusta mi forma de ser y sé que con esfuerzo consigo lo que me propongo.
- Me enfrento a la vida con optimismo porque sé cómo superar mis problemas.
- Cuando estoy nervioso o presionado busco opciones en pasatiempos sanos.
- Ninguno de mis amigos bebe alcohol de manera irresponsable y ninguno consume drogas.
- Yo sé que el alcohol y las drogas no solucionan los problemas, por el contrario, los empeoran.
- En mi familia se habla libremente acerca del sexo, de las

drogas y de cualquier tipo de problemas que pudiera afectarnos.

• Aprecio lo que soy y lo que hago.
• Practico deportes con regularidad.
• Pienso en mi salud antes de arriesgarme.

Cuando los jóvenes ya han empezado a consumir una o más drogas, pueden seguir diversos caminos. En general, *quienes pertenecen a las clases media y media alta*, pueden clasificarse de acuerdo con las etapas por las que pueden pasar. En este asunto cada especialista tiene su propia experiencia. De la del autor proviene el siguiente intento de identificación de dichas etapas:

Etapa 1. Aquí se encuentran los *adictos potenciales* que nunca han probado la droga pero que, por sus características de personalidad, la probarían si estuvieran frente a la oportunidad de vivir esa aventura. También comprende a los *probadores* que han usado de una a cinco veces alguna droga, nunca las llamadas "fuertes", pero sí fundamentalmente la mariguana o el hachís, acaso pastillas del tipo de los barbitúricos y tranquilizantes. Los jóvenes pertenecientes a los dos subgrupos (potenciales y probadores) tienen, por lo general, algunas de las características que hemos descrito entre los indicadores de riesgo.

Etapa 2. En ella se ubican los muchachos a quienes podemos llamar "consumidores en comunidad". Son los jóvenes que usan las drogas aparentemente con fines sociales, del mismo modo que muchos adultos consumen bebidas alcohólicas con los amigos. Pero las circunstancias no son iguales: aquéllos no se reúnen para conversar o convivir, sino más bien *para experimentar los efectos de las drogas* (mariguana, estimulantes, inhalables o alucinógenos). Suelen conversar sobre asuntos esotéricos, o bien superficiales, como si fueran temas profundos que sólo unos cuantos pueden abordar y comprender. Algunos consumen las drogas casi todos los días, cada vez más intensamente (desarrollo de la tolerancia) y pasan a integrar el grupo de la siguiente etapa. Por fortuna, la mayoría de ellos lo hace cada vez menos hasta que se aparta prácticamente en forma total de la droga, aunque puede consumirla en situaciones especiales.

Etapa 3. Aquí se encuentran quienes avanzan hacia la dependencia física, cuyos indicios ya se manifiestan. Por lo general consumen drogas que seleccionaron de acuerdo con sus rasgos de personalidad: quienes tienden a deprimirse prefieren los estimulantes, los angustiados, los tranquilizantes y sedantes, los que sufren una patología mental más severa quizá cambien de una a otra droga, alternando con los alucinógenos. Ahora ya no es tan necesaria la compañía, y el objetivo casi único es experimentar los efectos del psicofármaco diariamente con intensidad. En general, los consumidores de este grupo ya merecen el nombre de adictos, aunque la dependencia sea aún básicamente psicológica. Casi siempre enfrentan graves problemas de relación interpersonal, tienden al aislamiento, son repudiados incluso por sus compañeros que se encuentran en la segunda etapa, y pueden caer en conductas antisociales. Sólo un porcentaje pequeño detiene la carrera y puede volver en forma progresiva a una vida prácticamente normal. Muchos, sin embargo, pasarán a la cuarta etapa porque se trata de sujetos con algún grado de patología mental: unos están deprimidos, otros muy angustiados y algunos más con neurosis graves del carácter, psicopatía o verdadera psicosis.

Etapa 4. A este estadio han llegado quienes indudablemente son adictos y sufren una dependencia física. Desde el punto de vista clínico son los casos más graves y su representante característico es el heroinómano. En estas personas resulta casi imposible localizar los rasgos psicopatológicos porque se confunden con los efectos mismos de la droga y la clase de vida que llevan. Por supuesto, los grandes peligros son la sobredosis y el síndrome de abstinencia, problemas médicos graves que describimos en este libro.

Existe además un grupo inclasificable cuyas características no se relacionan con la gravedad de la drogadicción. Se integra por los "poliusuarios indiscriminados", quienes consumen estimulantes, sedantes y otras drogas en forma alternada, según la ocasión y el estado emocional. Su actitud ante la vida y las drogas se ilustra muy bien con el caso de una joven paciente atendida por el autor, que manifestó así su estado de ánimo: "A veces no sé si tomarme un *Ritalín* (estimulante) para irme a la discoteca, o tomarme un *Rohypnol* (sedante) e irme a dormir." Como se ve, son personas que necesitan psicofármacos para adaptarse (o creer que se adaptan) a las circunstancias de una vida sin rumbo.

Una de las mejores formas de estudiar los comportamientos que favorecen que los jóvenes se inicien en el consumo de drogas es la realización de investigaciones longitudinales, es decir aquéllas en que se lleva a cabo un seguimiento de varios años de las personas seleccionadas. En diferentes países se han efectuado multitud de estos estudios que nos dejan enseñanzas útiles, pese a que los resultados no deben generalizarse, dadas las diferencias socioculturales.

Recientemente, en las revistas especializadas se menciona un estudio que se distinguió por su calidad y objetividad que manifestaron los investigadores involucrados, todos ellos de reconocido prestigio. Se titula *The New Hampshire Study*, lo citamos porque las conclusiones a las que llega concuerdan en lo general con nuestra experiencia. Durante tres años se estudió periódicamente a 1200 estudiantes de los últimos años de primaria y los primeros de secundaria, quienes estaban en un programa de atención pedagógica destinado a acrecentar sus conocimientos sobre las drogas y su capacidad para abstenerse de usarlas. Independientemente de los resultados que señalaron la eficacia de la acción educativa, el estudio identificó, y eso es lo que nos interesa ahora, varios factores de riesgo para que se dé el *primer consumo* de drogas, principalmente mariguana. Estos son los siguientes:

1. Tener 14 años o más (etapa de la adolescencia).
2. Sentirse insatisfecho con la vida escolar.
3. Ser mal estudiante, de bajas calificaciones.
4. Sentirse rechazado en el hogar.
5. Considerarse impopular.
6. Tener amigos que consumen mariguana.

Es fácil ver que se combinan ciertos factores personales con otros escolares y alguno de carácter familiar. Pero así es y será siempre: el comportamiento humano, sano o enfermizo, depende de diferentes causas y de la forma en que éstas se relacionan unas con otras. Y, ciertamente, no sabemos aún todo lo necesario sobre tal interacción. Sin embargo, no hay por qué desesperarse: cada vez nuestro desconocimiento es menor, y con la perseverancia científica y la humildad característica del investigador serio que renuncia a los dogmatismos, se irá complementando este importante capítulo de la ciencia del hombre.

De lo que hemos dicho sobre los riesgos, se deduce que ciertas conductas de los padres, así como algunas fallas educativas que ocurren por omisión, favorecen que sus hijos se inclinen al consumo de drogas psicoactivas. Numerosas investigaciones realizadas en cientos de familias con un seguimiento de varios años señalan, sin lugar a dudas, que los muchachos se inician más frecuentemente en el consumo de sustancias adictivas, particularmente las ilegales, si en el seno familiar existen:

- *Negligencia* de los padres y de otros familiares adultos en la educación de los hijos (indiferencia hacia sus necesidades materiales y emocionales, por ejemplo).
- Hostilidad, rechazo o ambas actitudes en el trato cotidiano.
- *Abuso físico*, empleo de la fuerza para castigar las faltas cometidas por los hijos (padres golpeadores).
- *Violencia intrafamiliar* como rasgo de comportamiento en el hogar.
- *Abuso sexual*, dato que constituye un antecedente considerablemente de mayor peso entre los jóvenes consumidores de drogas que en la población general.

Las investigaciones de referencia señalan también las omisiones educativas que igualmente favorecen la inclinación de los hijos hacia conductas desviadas, que incluyen el uso de drogas. Estas son las siguientes:

- *Falta de apoyo moral* hacia los hijos.
- *Ausencia de vigilancia y control* de las actividades de los hijos dentro y fuera del hogar.
- *Deficiencias en la comunicación* como rasgo de la familia, con escaso conocimiento de los padres acerca de lo que les ocurre a sus hijos.

Estos resultados señalan las conductas familiares que debemos considerar riesgosas. Si junto a ellas coexisten otros factores sociales e individuales cuya influencia ya se demostró, se tendrá la más alta probabilidad de que un joven se aventure a consumir sustancias adictivas legales o ilegales.

BIBLIOGRAFÍA

Castro, Ma. Elena, "Indicadores de riesgo para el consumo problemático de drogas en jóvenes estudiantes", en *Salud Pública de México*, núm. 32, 1990, pp. 298-308.

Consejo Nacional contra las Adicciones, *¿Estás a salvo de las adicciones?*, Universidad Nacional Autónoma de México, México, 1996.

Institute for the Study of Drug Dependence, *Facts and Feelings About Drugs, a Short Course for Schools*, Londres, 1985.

Muuss, Rolf, E., *Teorías de la adolescencia*, Paidós, Buenos Aires, 1966.

Secretaría de Salud, *Manual destinado a los orientadores de prevención de alcohol y otras drogas para su intervención y apoyo a las familias que se enfrentan a problemas de consumo excesivo de sustancias en sus hogares*, Consejo Nacional contra las Adicciones, México, 1995.

UNESCO, *UNESCO's Actions to Reduce the Demand Through a Preventive Education Programme*, París, 1993.

U. S. Department of Health and Human Services, *Keeping Youth Drug-Free*, Washington, 1995.

Velasco Fernández, Rafael, *El camino hacia la salud mental. La teoría de Erik Erikson*, El Colegio de Sinaloa, Culiacán, Sinaloa, México, 1995.

La respuesta familiar

5

La familia es una escuela de mutuo perfeccionamiento.

ALFONSO REYES[1]

---

[1] **Alfonso Reyes**, *Cartilla moral*, Alianza Cien, Consejo Nacional para la Cultura y las Artes, 1994.

L a reacción inicial de las familias al enterarse de que uno de sus miembros (habitualmente menor de edad) ha empezado a consumir una o más drogas ilegales es muy diversa, lo que depende de varios factores. Esta respuesta es distinta entre los diferentes países, regiones y comunidades, según el grado de permisividad que exista ante el uso de drogas. En algunos sitios, pongamos por caso la ciudad de Amsterdam, Holanda, fumar mariguana es una práctica casi normal (en el sentido estadístico). Es comprensible que la reacción de los padres al saber que su hijo ya empezó a consumir esa droga, no sea de gran preocupación aunque decidan actuar adecuadamente para enfrentar el problema. En otros países no existe una aceptación legal ni moral del consumo de drogas y las reacciones familiares son distintas, aunque también variables ya que intervienen otros factores como el nivel socioeconómico, el grado de preparación, las tradiciones de la familia y, por supuesto, el temperamento y carácter de los padres.

A pesar de estas diferencias es posible generalizar sobre la respuesta de la familia mexicana, siempre que tengamos en cuenta que son muchas las excepciones a la regla. Con esa salvedad, diremos que, en general, la madre reacciona más que nada con *angustia* y el padre con *disgusto*. Desgraciadamente, el estado de ansiedad y el enojo no ayudan mucho, y más bien obstaculizan las decisiones inteligentes que deben tomarse para enfrentar favorablemente la situación. Tanto la madre atribulada como el padre enfurecido pueden tomar medidas equivocadas que van desde la ocultación de los hechos hasta la confrontación violenta con el chico o la muchacha que usa drogas. Es muy explicable que el descubrimiento de lo que está ocurriendo provoque ansiedad y desaprobación. La sola idea de que nuestro hijo llegue a ser un adicto, que de hecho es posible una vez que empezó a consumir una droga adictiva, puede alterar la estabilidad emocional no sólo de la madre, sino de la familia entera. Por otra parte, la respuesta de enojo que frecuentemente muestra el padre puede llevar al rechazo total y a la advertencia inapelable de no permitir más la conducta descubierta. La amenaza ante la reincidencia llega a ser la exclusión del hijo de la vida familiar apartándolo del hogar. Las opciones para el chico son: rebelarse definitivamente ante la autoridad paterna prefiriendo a los amigos, someterse por temor o, en el mejor de los casos, por convencimiento. Hay algunas variantes, por ejemplo, aparentar sometimiento para seguir consumiendo la droga subrepticiamente. De cualquier manera, la reacción en la que predominan el disgusto y el rechazo suele llevar a malas soluciones. Por desgracia no existen reglas precisas que nos indiquen cuál es la mejor respuesta familiar. Analicemos a continuación lo que aconsejan los especialistas, bajo la advertencia de que cada caso tiene siempre características propias que deben tomarse en cuenta.

La primera recomendación es enfrentar la situación con decisión, tratando de evitar que la angustia o el disgusto provoquen respuestas impensadas o, por el contrario, una paralización por temor a empeorar las cosas. La *discusión del asunto* entre los padres ayudará a conocer mejor los hechos y a planear las acciones que habrán de tomarse, pero es muy conveniente llegar a un *conocimiento compartido* que fortalezca la fe de ambos. Es posible que en ese primer intercambio de ideas e información se concluya que debe buscarse ayuda profesional, pero lo más conveniente es que se decida sólo después de hablar con el hijo o la hija abiertamente, evitando la actitud de reclamo directo y de reproches antes de escucharle. En lo que diremos a continuación se supone que se trata de un adolescente, pero vale también, por lo menos en parte, para el caso de familiares de mayor edad.

Durante la conversación con el hijo el planteamiento debe ser claro, dejándole sentir que se sabe con certeza lo que ocurre. Es necesario tener tacto y firmeza para aceptar los hechos y el reconocimiento de los actos cometidos. Igualmente debe darse oportunidad de que el joven exprese su arrepentimiento, si es el caso, o las razones que lo impulsaron a consumir la droga. Es muy importante que el hijo sienta que sus padres reconocen a su vez que hay un problema cuya solución compete a todos, que existe también una responsabilidad compartida y que, por el amor que se le tiene, están y estarán con él en su intento de afrontar las consecuencias. La experiencia acumulada en muchos casos nos dice que esa primera plática es crucial para el curso posterior de los acontecimientos y para el logro de una respuesta sana y razonablemente objetiva por parte del joven que ha empezado a usar una o más drogas adictivas. De ahí también deberá surgir la decisión de buscar ayuda especializada, lo que dependerá del resultado del diálogo y, por supuesto, de la voluntad expresa del muchacho. La ayuda sin el consentimiento de quien la ha de recibir es casi sinónimo de fracaso.

Durante la plática no debe faltar una clara referencia a lo inaceptable del consumo de las drogas ilícitas, tanto desde el punto de vista moral como de la salud y la ley. Sobre este último punto hay que insistir en que la compra de drogas prohibidas es ilegal y que pueden agregarse otras conductas también ilícitas, como la asociación delictuosa y el narcotráfico. Debe informarse al muchacho que son muy imprecisos los límites entre una simple desobediencia y un acto punible de consecuencias mayores. Los padres, si están bien enterados, deberán explicarle los efectos de la droga consumida sobre el organismo. Sin embargo, pueden convenir con él en que se obtendrá información adecuada para discutirla juntos.

No está por demás recomendar que esta primera plática se realice en un momento oportuno, de acuerdo con las costumbres familiares, cuando se disponga del tiempo y de la tranquilidad suficientes. Insistimos en que los padres habrán discutido previamente el asunto y pondrán a su hijo al tanto sobre su total acuerdo en cuanto a las decisiones que le proponen, manifestándole solidaridad pero pidiéndole voluntad de acción y sincera aceptación del camino trazado. Un acuerdo así le hará sentir que la familia está con él, que sus padres perciben con claridad el problema y que él adquiere obligaciones con ellos y consigo mismo. No es ésta una tarea fácil pues habitualmente el joven no percibe la situación como muy peligrosa, piensa que exageran y se cree capaz de manejar su relación con la droga sin convertirse en consumidor habitual o en un verdadero adicto. Téngase en cuenta la influencia del grupo de amigos donde existe una percepción diferente del asunto.

Según sea el caso, algunos especialistas aconsejan que aun

cuando los padres tengan la *certeza* de que su hijo consumió alguna droga, al hablar con él lo interroguen sin mostrarle tal convencimiento. Para el tratamiento del problema es mejor que el joven lo admita y lo confiese abiertamente. En caso de que lo niegue y a pesar de la certidumbre de los padres, considerando la forma en que se haya desarrollado la conversación, puede concedérsele el beneficio de la duda. No obstante, en muchos casos es necesario que los padres muestren las pruebas de que disponen, dejándole ver que comprenden su resistencia a reconocerlo. Esta reacción indica que hay conciencia de que se trata de una falta seria, no de un simple acto intrascendente de desobediencia o rebeldía.

Es muy importante que el chico reconozca el interés genuino de sus padres por su vida y lo que pueda ocurrirle, y que se percate de que estarán atentos a la evolución de la situación y al cumplimiento de las acciones prometidas. Por ello, debe hablarse directa y abiertamente, y despejar las dudas que hayan surgido, prometiendo una actitud desapasionada para continuar en pláticas posteriores el diálogo iniciado. Por otra parte, el consumo de drogas generalmente va acompañado de conductas inconvenientes, inasistencia a clases, retrasos sin autorización en la hora de llegada a la escuela, y otras semejantes, por lo que es indispensable fijar reglas y límites. El muchacho debe comprender que el consumo de una droga ilegal no es un acto separado de todo un estilo de comportamiento, reconocible por los demás y siempre ligado a resultados desfavorables en su desarrollo personal (estudios, deportes, actividades creativas y recreativas, relaciones interpersonales, etc.).

Un buen indicio que augura una respuesta positiva es que el chico acepte sus actos sin necesidad de presiones, a menos que lo haga cínicamente o restándoles importancia. Cuando admite con franqueza su "error" (como suelen decir los jóvenes) y muestre arrepentimiento, la evolución más probable es hacia el abandono de la experimentación con las drogas. No debemos olvidar que *sólo un bajo porcentaje de jóvenes* alcanza la etapa de consumo habitual que se complica por la deserción escolar, la ruptura de la relación familiar y, eventualmente, el desvío hacia una vida apartada de la ley.

En algunos casos, desde la primera plática se descubre la gravedad del problema; que el joven ya no puede manejar la situación por su incapacidad para abandonar la droga. Por difícil que sea aceptarlo, el chico a veces logra ocultar su conducta ante los ojos de la familia durante un tiempo prolongado, suficiente para el desarrollo de la adicción. En tal eventualidad, se impone la búsqueda de ayuda especializada, aquí sí incluso sin el consentimiento expreso del muchacho. Más que en los otros casos, se necesita la actitud solidaria y el esfuerzo incondicional de todos los miembros de la familia con el fin de atender lo que ya es un estado patológico, una *enfermedad*, catalogada así por los organismos internacionales de salud con el nombre de "síndrome de dependencia" dentro del capítulo correspondiente a los *trastornos mentales debidos al abuso de sustancias*.

Hemos dicho ya, que es posible reconocer, hasta cierto punto y en términos generales, la respuesta que muestran los padres de familia al descubrir que su hijo consume drogas ilegales. Analizaremos ahora las distintas formas de reacción de la familia ante el consumo habitual o la adicción de alguno de sus miembros, quien no puede, mediante su sola voluntad, abandonar el hábito. Sobre el particular es muy recomendable la lectura de un folleto que en 1996 publicaron conjuntamente la Organización Internacional del Trabajo y la Organización Mundial de la Salud, con el apoyo de la Secretaría de Salud de México, titulado *Orientación para las familias de los trabajadores*.

Respuesta predominantemente emocional. Esta forma de reacción por parte de los familiares bien puede ser la continuación de la primera respuesta común: ansiedad y disgusto. Si no se realiza un esfuerzo por adoptar una actitud más objetiva y racional, la vida familiar puede caracterizarse por las discusiones repetidas con el consumidor, las amenazas (generalmente no cumplidas), los reclamos y las dudas. Los familiares simplemente *expresan lo que sienten* y descargan en ese momento su propia tensión, lo cual en nada beneficia al joven consumidor, quien no modifica su conducta ante las drogas. Así, la vida familiar se perturba, se vuelven cotidianas las escenas de confrontación y se favorecen los estados de desaliento y aun de depresión entre los miembros de la familia. No se descarta la posibilidad de un rompimiento violento y definitivo, lo que puede ocurrir de manera peligrosa (daño personal, lesiones en riña, etc.).

Respuesta negligente. Los miembros de algunas familias prefieren no afrontar los hechos, negar la realidad, como suele decirse. Se dan a sí mismos razones para ello, aunque lo cierto es que recurren a las explicaciones más cómodas: "No es mucho lo que puedo hacer"; "Después de todo, es su propia decisión";

"Ya hice lo que pude", etc. Para no entrar en conflicto evitan estar presentes cuando el joven llega a casa, reducen los contactos personales al mínimo y se dicen a sí mismos que de este modo se controla mejor la situación. La verdad es que el consumidor de drogas siente el rechazo afectivo ("No le importo a nadie en mi casa"), se fomenta la desunión familiar y, sobre todo, no sólo no se actúa positivamente para que aquél abandone el consumo, sino que se facilita el camino para que siga haciéndolo.

La inactividad negligente suele acompañarse de un concepto que, de no ser por la gravedad del problema, podría ser una explicación al menos discutible. Es la idea de aceptar la situación como parte de la vida misma, como algo que así se da y que es inmodificable (o casi). Sin embargo, si ponemos por delante la urgencia de que el familiar deje de consumir una sustancia peligrosa para su salud, la indiferencia *no sirve* y puede ser delatora de la falta de amor hacia un miembro de la familia que vive en serio peligro. La respuesta negligente, como aquí la hemos llamado, puede por otra parte fomentar la frustración y crear sentimientos de culpa en los padres. Una variante sería la actitud *tolerante*, mediante la cual no sólo se intenta evadir el problema, sino que se protege al usuario, se le proporcionan tiempo y dinero para continuar con su hábito y se le trata como si la vida transcurriera normalmente. Dejamos al criterio del lector las consecuencias que en el seno de la familia puede tener una respuesta como ésta, pero recalcamos que desde luego facilita que el problema principal, el de la adicción del muchacho, no desaparezca, y por el contrario, estimula su agravamiento.

Respuesta vigilante. Llamaremos así a la reacción que se observa frecuentemente en los miembros de las familias que, a diferencia de la que describimos como actitud indiferente y protectora, creen que el consumidor puede renunciar a su hábito si se le vigila y se le obliga a cumplir sus promesas. Es fácil imaginar las acciones que se realizan con este enfoque: esperar al joven por la noche, obligarlo a que abandone ciertas amistades, llevarlo a la escuela y recogerlo a la salida, negarle algunos permisos, evitar que esté solo, castigarlo por su incumplimiento, etc. La experiencia demuestra que, si realmente se trata de un adicto, además de los conflictos que se generan entre los miembros de la familia, el consumidor llegará a ser quien verdaderamente controle a todos. Si su necesidad por la droga es suficientemente intensa, siempre encontrará la forma de conseguirla aunque ello signifique meterse en nuevos problemas cada vez más graves. Así, la respuesta vigilante y controladora no sirve para el propósito principal: que el chico deje de consumir drogas.

¿Cuál es entonces la respuesta más positiva? Porque, si lo vemos con detenimiento, las que hemos descrito no dejan de tener algunos efectos no deseables para la vida familiar. Cabría decir que lo más recomendable sería una combinación de las actitudes descritas evitando las que por experiencia se sabe que no funcionan para el propósito principal.

Sin duda lo primero es afrontar la situación. Cualquier actitud de negación o indiferencia no servirá sino para agravar o por lo menos, prolongar el consumo de las drogas. Es necesario hacer saber al joven, durante una plática tranquila, la forma en que su conducta perturba el ambiente familiar, así como lo que se espera de él. Respecto a esto último, lo más importante es que mantenga la abstinencia para lo cual es indispensable que siga todas las indicaciones de quien lo atiende profesionalmente cuando éste sea el caso. La familia, a su vez, debe comprometerse a realizar la parte que le corresponde en este proceso en el que a veces es necesario fijar plazos y metas para ir logrando los cambios positivos. Es conveniente que las medidas que se tomen contribuyan a crear la sensación de que no sólo se está actuando por el bien de un miembro de la familia sino por *el hogar mismo, por toda la familia*.

El adicto debe sentir que sus padres no se resignan, que no aceptan que ponga en riesgo su salud y hasta su propio futuro personal. Igualmente, debe saber que tampoco se prestarán a la manipulación a la que tan frecuentemente recurren los farmacodependientes. Una regla básica es la reciprocidad del compromiso. Es cierto que al establecerlo se fijan límites para el comportamiento y se corre el riesgo de que si las normas no se cumplen, el adicto se aleje del seno familiar. Todo depende de muchos otros factores como la gravedad de la adicción, la unión alcanzada, la situación económica, etc., pero, en todo caso, es un riesgo que debe correrse. No puede olvidarse que la familia enfrenta un problema serio que afecta a todos. La farmacodependencia es, en palabras de Octavio Paz, una moderna forma de esclavitud, y una rendición, agregaríamos, porque significa la pérdida de la libertad, pero también del ímpetu vital indispensable para recuperarla. El joven, en nombre de su libertad personal, decide buscar un placer que efectivamente encuentra por un tiempo, pero después llega a ese estado de sumisión que es el opuesto del que pretendía alcanzar.

En otra parte de esta obra dedicamos un capítulo a la comunicación y al diálogo que debe existir en el seno de la familia. En el caso de que uno de los familiares adquiera el hábito de consumir drogas, la verdadera comunicación se vuelve imperativa para conocer el grado en que se avanza en la solución del problema y para fortalecer la voluntad del afectado. Pero debe ejercerse una vigilancia prudente que, junto con una tolerancia bien calculada, forme parte del apoyo real hacia el consumidor. También existe ayuda que puede provenir desde afuera, además de la que proporciona el especialista cuando eso es conveniente y posible. Los demás familiares, aunque no habiten en la misma casa, los amigos y las personas en las que el chico confía o a quienes admira, pueden ser un recurso importante. A menudo, el hecho de que los familiares y amigos cercanos compartan la preocupación puede significar una forma de alivio y la seguridad de contar con alguien en un momento de crisis. Así pues, es deseable que la tensión generada en el hogar no impida la búsqueda de ese otro apoyo fundado en el afecto y la amistad.

Acerca de la asistencia profesional, el mejor consejo para obtenerla puede provenir del médico de la familia, del maestro más respetado por el chico o del director de su escuela. Quienes no pueden recurrir a los servicios privados por razones económicas, tienen otras opciones, ya que en cada país se cuenta con centros de atención apropiados.

Los padres de familia que han de valorar el comportamiento y la actitud de sus hijos, deben empezar por la autoobservación. ¿Están ellos mismos sometidos a presiones psicológicas? Porque las personas deprimidas o angustiadas no siempre tienen buenas relaciones interpersonales, suelen mostrarse irritables, cuando no francamente agresivas. En tales condiciones es de esperar que no resulte muy positivo el diálogo con los hijos adolescentes, menos aun si se trata de valorar y sancionar su conducta. Por supuesto, todas las personas pueden "tener malos días", según la expresión popular. Pero cuando realmente se vive bajo tensión emocional se presentan algunos indicios muy característicos:

- Sensación de tener poca energía y escasa voluntad de acción.
- Tendencia a la tristeza, al llanto fácil y al desaliento.
- Actitud recelosa hacia los demás (suspicacia).

- Abuso del alcohol o de los medicamentos psicoactivos.
- Dificultad para tomar las decisiones cotidianas.
- Irritabilidad, respuestas exageradas a los estímulos físicos y psicológicos.
- Cambios injustificados del humor.
- Dificultades para dormir o descansar.
- Incapacidad para disfrutar las situaciones habitualmente placenteras.
- Dolores de cabeza frecuentes, como resultado de la tensión y preocupación.

La angustia y los estados depresivos son los trastornos que más frecuentemente interfieren con el bienestar de las personas adultas. Una definición no precisamente académica de la **angustia** es: un estado de aprensión y temor cuya causa no se puede identificar, es un sentimiento desagradable que provoca sufrimiento moral de intensidad variable. En psiquiatría, **depresión** es un término reservado a un trastorno específico que amerita tratamiento, pero en el lenguaje común se refiere a un estado de tristeza con escasa motivación para enfrentar los problemas, e incapacidad para disfrutar las situaciones que ordinariamente son agradables. Suele acompañarse de una visión catastrófica del futuro y una sensación de incapacidad para enfrentarlo. Es fácil comprender que cuando la angustia (o ansiedad) y la depresión alcanzan cierta intensidad, son incompatibles con el bienestar emocional, por ello las hemos mencionado, con el fin de que los adultos puedan identificarlas mediante un ejercicio de autoobservación.

LA VERDADERA COMUNICACIÓN EN EL HOGAR

Seguramente la mayoría de nosotros se siente mejor cuando no enfrenta problemas importantes o cuando, aun teniéndolos, se pueden compartir con alguien a quien se quiere y de quien cabe esperar alguna forma de apoyo, así sea simplemente una expresión de simpatía, sobre todo cuando el afecto es recíproco y se siente respeto moral o intelectual por la persona con quien se habla. Un hermano, la esposa o el esposo, en fin, un compañero de trabajo, pueden hacernos mucho bien por el mero hecho de escucharnos y de intercambiar opiniones cuando vivimos situaciones difíciles. Si se da esta forma de diálogo hablamos de verdadera *comunicación*, esa relación que sólo ocurre cuando se habla de sentimientos, emociones, expectativas y creencias. Una buena forma de saber si alguien es nuestro amigo consiste en preguntarnos si hemos tenido con él, o somos capaces de tener, un diálogo que toque los asuntos que hemos mencionado. Con frecuencia hablamos mucho y con muchas personas, pero la comunicación *emocional* ocurre sólo con unos cuantos. El mejor lugar para esta forma de acercamiento real entre los seres humanos es sin lugar a dudas el hogar. Las cosas no van muy bien cuando en una familia, aunque se hable mucho, cada cual atiende a lo suyo y no comparte con los demás sus sentimientos y emociones.

Decimos que una persona es extravertida cuando fácilmente habla de sus estados de ánimo, comunica opiniones personales, argumenta y devela su propio sentir respecto a diversos hechos y situaciones. El introvertido, en cambio, recibe este calificativo porque se queda con sus sentimientos, dialoga consigo mismo, por así decirlo. Ambos son individuos normales, simplemente dos tipos de sujetos entre otros posibles, salvo si estos rasgos del carácter se lleven a extremos. Un extravertido puede manifestar otros síntomas como locuacidad, hiperactividad física, irritabilidad, etc., y entonces merecer el calificativo de hipomaniaco, según la terminología de la psicopatología. El introvertido puede, acaso, estar manifestando un cuadro de *autismo*, otra expresión reservada para cierta forma de trastorno mental. Sin embargo, por lo general, lo que vemos son personas comunicativas y personas reservadas. Nuestros hijos en crecimiento pueden estar configurando algunas de estas formas de relación con los demás, en todo caso debemos abrir en el hogar los caminos de la auténtica comunicación, ésa a la que nos referimos en este breve apartado. Y esas vías pueden recorrerse respetando plenamente la individualidad de cada uno. El gran psicólogo y educador Jean Piaget expresó esto mismo de manera casi poética: "Debemos formar individuos capaces de una autonomía intelectual, respetuosos de la autonomía de los demás."[2]

Los adolescentes viven el proceso de hacerse adultos al experimentar cambios desconcertantes y nuevos pensamientos y sentimientos. La capacidad de expresarlos es algo que distingue

[2]**Jean Piaget**, *¿A dónde va la educación?*, UNESCO, 1972.

al hombre de las demás especies, aunque a veces las circunstancias inhiben esa facultad. Muchos padres limitan consciente o inconscientemente la expresividad de sus hijos, lo cual influye negativamente en su desarrollo y en la construcción de un clima familiar que propicie felicidad y buen entendimiento. Un padre que nunca comenta con sus hijos su propio estado de ánimo, sus éxitos y problemas en el trabajo, no favorece el diálogo fructífero con ellos. Tampoco lo facilita si sólo de manera ocasional, al buscar más que nada una respuesta lacónica, pregunta: "¿Cómo te fue?" o "¿Todo va bien?". Se comprende que el niño, el adolescente, necesita un estímulo más franco y amistoso para poder abrirse ante los padres si algo le preocupa, si enfrenta problemas en la calle o escuela. Más aún si esos problemas son internos, referidos a sentimientos, emociones especiales o estados de ánimo dolorosos como la angustia y la depresión.

El adolescente suele tener falsas percepciones de lo que ocurre en su ambiente familiar y social. Puede creer, por ejemplo, que sus padres (o uno de ellos) quiere más a un hermano o hermana, o que él es objeto de rechazo emocional. Esto no es cierto la gran mayoría de las veces, pero es posible que si los padres realizan una sincera autocrítica, encuentren que su proceder ante los hijos *propicia* esa interpretación. Para entender la actitud y el comportamiento de un chico es muy importante tener presente lo que realmente ocurre en el hogar, pero más importante aun es saber lo que *él cree que pasa, aunque finalmente esté equivocado*. Su relación con los demás familiares, y en parte también con sus compañeros, está condicionada por su interpretación de los hechos y por el sentimiento que ésta pueda suscitarle. Pero digamos también que el significado que el joven da a lo que ocurre no siempre es gratuito y que, a veces, *está en lo cierto*. Si hay algo que pueda ayudar a esclarecer la verdad y a evitar *a tiempo* malentendidos y falsas interpretaciones, ese algo es *la comunicación auténtica*.

Muchos de los menores infractores, cuyas historias personales se estudian en las instituciones oficiales, tienen padres con antecedentes de negligencia para atender sus necesidades espirituales. Es frecuente la falta de una respuesta afectiva y comprensiva cuando el menor hace sus primeros intentos de acercamiento a los padres, en esa etapa difícil de su desarrollo en la que se busca consolidar la autonomía y el sentimiento de identidad. Los padres que así se comportan harían bien en recordar sus propias tribulaciones, dudas y angustias en su recorrido hacia la vida adulta. Cuando se hace este ejercicio de memoria, si se es humilde y objetivo, se gana simpatía hacia los hijos adolescentes, se les comprende mejor y es más fácil establecer un diálogo permanente y abierto en el que se pueda hablar de *cualquier tema*. Esta práctica de "ponerse en los zapatos del hijo" favorece sin duda la comunicación, pero han de aprovecharse circunstancias específicas para abrir el diálogo.

Los padres pueden aprovechar los acontecimientos comunes que difunden los diarios, la radio o la televisión, para preguntar a sus hijos su opinión e interpretación de lo ocurrido. Las noticias relacionadas con el consumo de drogas son frecuentes, lo que es una buena oportunidad de abordar el tema con naturalidad. Hay que recordar que los niños están al tanto, por curiosidad u obligados, de muchos acontecimientos en torno al narcotráfico y a los delitos ligados a esta actividad criminal, a los efectos de las drogas sobre el individuo y a temas similares, mucho antes de alcanzar la pubertad, así que hay que abordar el tema en el hogar *a tiempo*, sin temor ni resistencias. Quedó atrás la época en que al muchacho o a la chica se les hablaba "de hombre a hombre y de mujer a mujer" sobre las cosas de la vida (el sexo principalmente), sólo cuando alcanzaban cierta edad. Los niños de hoy viven en *medio de los acontecimientos*, informados para mal o para bien de la realidad cotidiana y de lo que ocurre en el mundo de los adultos. No hay manera de evitar que se enteren de asuntos para cuya cabal comprensión no están aún preparados. Todo ello hace que la intervención de los padres en el hogar sea insustituible y necesaria, para proporcionarles elementos con los que hagan una valoración objetiva y real de cuanto acontece y *de lo que les acontece a ellos mismos*.

Ante la falta de oportunidades para manifestarse, los niños pueden reprimir sus sentimientos, a veces los expresarán más tarde, sólo que no siempre en forma sana. La agresividad, las conductas desviadas, el consumo de drogas y la violencia, pueden ser vías de expresión de las emociones acumuladas, de las dudas e interpretaciones erróneas que nunca pudieron aclararse. Convengamos en que el mundo actual produce un exceso de estímulos, lo mismo los de orden material que nos llegan a través de los sentidos, que los subjetivos cuya influencia tiene que ver con la conducta humana, la moralidad, las actitudes, los valores, etc. Los medios de comunicación masiva ciertamente "comunican", pero no siempre lo más valioso para la conformación de una personalidad sana. Numerosos estudios señalan la influencia negativa que aquéllos suelen tener al promover manifestaciones de violencia, malos hábitos, sustitución de valores morales, entre otros. Sólo una escasa parte de las grandes posibilidades educativas de esos medios se utiliza en la actualidad en beneficio de los niños y jóvenes. Nos referimos aquí a la información y a la diversión que se proporcionan cotidianamente y que, quiérase o no, llegan indiscriminadamente a todo público, por más que se hagan algunas advertencias que casi siempre son ignoradas.

Muchos adultos prefieren la hora de la comida para plantear asuntos de interés familiar, o reñir con los hijos y pedirles una explicación de sus actos. No parece ser una buena costumbre, si bien cuando se dispone de poco tiempo y el asunto a tratar exige atención inmediata, no hay otra posibilidad. En general, debe evitarse la confrontación, el regaño o las malas noticias mientras se come. Puede ocurrir que, si esa práctica se hace costumbre, los chicos propendan a asociar las situaciones desagradables con los alimentos, lo cual llega a crear malos hábitos de alimentación y otros problemas. Tal vez a la mayoría de los padres les resulte más apropiado establecer la comunicación sobre temas trascendentes durante la sobremesa o en las tardes de los días en que no se trabaja. En todo caso, si se van a tocar temas controversiales, una buena introducción es el establecimiento de un acuerdo: los participantes en el intercambio procurarán no ofender a los demás y harán el esfuerzo de mantener la calma y discutir serenamente. Es muy importante que sean los padres quienes cumplan más acuciosamente este compromiso.

A partir de la preadolescencia los muchachos han de tomar cada vez más decisiones de manera autónoma. Aunque no se debe temer al componente emocional de toda decisión sino reconocerlo y considerarlo, hay que aceptar que la voluntad se orienta mejor si se nutre de argumentos racionales y objetivos. Esto es algo que debe enseñarse a los adolescentes. Los padres y maestros tienen aquí una responsabilidad y una oportunidad. Lo que diremos a continuación vale para las determinaciones que han de tomarse ante diferentes situaciones en la vida, y es aplicable al asunto que nos ocupa, el de la conducta que ha de seguirse frente a las drogas. Esperamos que sirva a los padres de familia como parte importante del diálogo que pueden y deben tener con sus hijos.

Un planteamiento útil es el de considerar las siguientes preguntas:

- ¿Qué es lo que trato de decidir y cuánto sé *realmente* sobre el asunto?
- ¿Cómo saber si la información de la cual dispongo es verdadera? ¿De dónde la obtuve? ¿Es una buena fuente?
- ¿Qué más necesito saber antes de seguir adelante?
- ¿Quién tiene la información que me falta?
- ¿Cómo y dónde puedo obtenerla?

Si ya se tomó una decisión ante el consumo de drogas aún podemos preguntarnos:

- ¿Cuáles pueden ser los buenos efectos producidos por esa decisión?
- ¿Cuáles serían los efectos negativos?

Supongamos que le preguntamos a un chico sobre sus expectativas acerca de la mariguana. Se le puede proponer una discusión con base en el esquema de preguntas aconsejado. Así, la primera sería, ¿cuánto sabes sobre la mariguana? Cualquiera que sea la respuesta, y lo más probable es que se tenga desconocimiento, se puede proponer la búsqueda de información. Hay publicaciones que pueden servir,[3] aunque están disponibles el trabajo editorial del Consejo Nacional contra las Adicciones, las publicaciones de Centros de Integración Juvenil y de las diversas instituciones no gubernamentales, como el CESAAL (Centro de Estudios sobre Alcohol y Alcoholismo), las producidas por la UNAM (Universidad Nacional Autónoma de México) y otras universidades, etc. Es muy conveniente leer y comentar juntos, padres e hijos, la información obtenida. Debe quedar claro que una decisión tan importante como la de probar la mariguana, que es una droga adictiva e *ilegal*, ha de basarse en un conocimiento suficiente de los efectos que puede producir en el organismo y el psiquismo del consumidor *a corto y a largo plazos*.

No estamos proponiendo aquí que el padre de la familia tome una actitud neutra y amoral ante la posibilidad de que su hijo o

---

[3] Consúltese el libro del autor, *Las adicciones*, Trillas, 1997. El capítulo 4 describe los efectos producidos por cada droga.

hija decida consumir una droga, en este caso la mariguana. El conocimiento de todo lo relacionado con el uso de una sustancia *prohibida* debe servir de orientación al joven para que se *abstenga* de consumirla.

Los adultos debemos estar conscientes de que la propuesta de un diálogo con *conocimiento* puede llevar a posiciones débiles cuando "tenemos cola que nos pisen". Si somos fumadores o bebemos alcohol de manera irresponsable, aunque se trate de drogas legales, podemos ser cuestionados al respecto. No le demos vueltas: la única actitud *congruente* con la idea de saber más acerca de las sustancias adictivas para así tomar decisiones inteligentes, es aceptar nuestra falla y comprometernos a hacer un esfuerzo por remediarla. El compromiso puede ser una excelente motivación para hacer lo que *consecuentemente* procede: dejar de fumar, beber con responsabilidad (sin alcanzar nunca la ebriedad). Lo que no cabe es establecer diferencias que parecieran favorecernos. "No es lo mismo", solemos decir, sin aportar más argumentos que los de la legalidad o permisividad de la sociedad respecto al tabaco y alcohol. La verdad es que la discusión debe centrarse en el daño a la salud y en los cambios de conducta provocados por las drogas psicoactivas adictivas, sean éstas legales o ilegales.

¿Qué más importa saber acerca de la mariguana?, sería otra pregunta a responder, porque no sólo hay que conocer la respuesta de nuestro organismo a la acción de la droga, sino también otros asuntos, como los relacionados con el hecho de la ilegalidad de su consumo. La opinión pública y la reacción de la sociedad son temas importantes que deben tratarse. También la desaprobación familiar, la preocupación que causa a los padres la conducta inadecuada de los hijos, en fin, la atmósfera de incertidumbre o de franco temor que puede crearse en el hogar cuando uno de sus miembros consume drogas. Nunca dejará de decirse, en algún momento del diálogo, que hay datos fehacientes sobre esta realidad: la gran mayoría de quienes usan drogas de las llamadas "fuertes" (heroína, cocaína y otras) *empezaron con la mariguana*. Hay lugares en donde lo más frecuente es que en el grupo de amigos fumadores de mariguana alguien invite a probar un alucinógeno (peyote, hongos, "ácido") o a iniciarse en la cocaína (cada vez más en su forma de *crack*). Por eso se ha dado a los canabinoles (mariguana, hachís) el nombre de "drogas de entrada" al ambiente de las adicciones más peligrosas.

No olvidemos que una de las "racionalizaciones" más efectivas en las que cae un joven es la que lo lleva a decirse a sí mismo: "Yo nunca caeré en la adicción, sólo quiero probar la droga, saber qué se siente y, si acaso, usarla de vez en cuando." Es muy importante, por ello, recordarle al muchacho que ninguno de quienes ya son adictos, gravemente adictos, pensó que llegaría a serlo cuando probó una droga por primera vez. Es asunto que no depende *solamente* de la voluntad, debemos reconocer que hay organismos y personalidades que son *proclives* a la dependencia de sustancias y que no existe un método seguro para saber quiénes sí y quiénes no están en esa categoría. Visto así, y no hay que dejar de comentarlo, probar por primera vez una droga "dura" o "blanda" es como jugar a la ruleta rusa, en el sentido de que no sabemos si se está disparando un mecanismo que tarde o temprano nos llevará a la verdadera adicción. Hay estudios que demuestran la posibilidad de alcanzar la dependencia a la cocaína después de consumirla tan solo tres veces, sobre todo si se usa en la forma de *crack* (cocaína base).

Si estamos recomendando que en la comunicación abierta con los hijos se busque una respuesta racional a las preguntas previas a una toma de decisiones, no podemos pasar por alto que las drogas se usan porque muchos obtienen con ello un estado de bienestar (euforia) y felicidad. Hay que admitirlo, no tiene sentido ni utilidad alguna hablar *solamente* de los males que las sustancias adictivas producen. Pero hay que destacar el hecho de que si bien *puede ser así* (no siempre, recordemos los "malos viajes"), se trata de un efecto *pasajero* que a la larga deja más males que bienes. La adicción es una forma de sumisión impotente, una esclavitud, la pérdida de la libertad (la libertad de *no usar* la droga). Sin llegar a exageraciones, es obligación de los padres abundar en los argumentos que hacen referencia a estas realidades.

Los adolescentes no piensan mucho en lo que puede ocurrirles 30 o 40 años más tarde *si empiezan hoy* a consumir una droga. Si hablamos del tabaco, la posibilidad de padecer cáncer y enfisema resulta un argumento poco atractivo. Por irracional que nos parezca, es más probable que reaccionen mejor ante la información sobre el mal aliento que el cigarro produce, el efecto desagradable que el humo provoca en sus interlocutores o la disminución de la capacidad para el deporte. Como ellos mismos afirman, hay que vivir en el presente. Les importan más los daños a corto y mediano plazos, por eso debemos referirnos a ellos cuando entablemos este diálogo que es necesario propiciar.

Por otra parte, los padres harán bien en resaltar la posibilidad de que el consumo de drogas obstaculice los caminos importantes que se abren cuando el niño llega a la pubertad e inicia ese proceso de tránsito hacia la adultez. El consumo de mariguana, para seguir con nuestro ejemplo, le puede provocar una disminución de los intereses más positivos, aquellos que se relacionan con áreas importantes de la actividad vital.[4] En lugar de incrementar los talentos y capacidades personales del adolescente, puede introducirlo en lo que se ha llamado la subcultura de la droga. Ésta consiste esencialmente en la pertenencia a un grupo que se conduce al margen de la sociedad y que, a excepción del hecho de que en su seno se consumen sustancias prohibidas, sus integrantes no necesariamente cometen otros actos ilegales o acciones antisociales importantes. El mayor daño que esta forma de vida produce en los jóvenes del grupo es que éstos *dejan de cultivar su potencial humano*. Así, junto a la posibilidad de que realicen actos indeseables directamente relacionados con los efectos de la droga, se encuentran los estragos que provoca el *dejar de hacer cosas positivas*, aquéllas que favorecen la superación personal y el acercamiento a metas muy por encima de los conformismos y limitaciones.

La existencia de una subcultura de la droga no depende únicamente de la verdadera farmacodependencia. Muchos jóvenes que se reúnen con el fin principal de consumir una droga (habitualmente la mariguana), con el pretexto de escuchar música o de pasarla bien, no son adictos en el sentido estricto del término, pero necesariamente presentan los efectos negativos de una actitud negligente y evasiva. Con frecuencia, algunos adolescentes alegan a favor de sus amigos que ninguno de ellos es un consumidor habitual, lo cual puede ser cierto. Pero aquí los padres tienen la oportunidad de contraargumentar haciendo ver que, si bien puede ser así, la realidad es que los integrantes del grupo fallan en la consecución de ciertas metas mínimas como asistir

---

[4]Por cierto que respecto a los efectos más cercanos, en el caso de la mariguana vale citar el hecho de que su consumo interfiere con la memoria y la capacidad de concentración, lo cual necesariamente obstaculiza el estudio. A la larga el efecto es aún mayor, ya que se agrega la pérdida de la voluntad para perseverar en la búsqueda de solución a los problemas escolares. No debe omitirse, entonces, este argumento contra su consumo.

con regularidad a la escuela o al trabajo, estudiar, practicar algún deporte, cooperar en el hogar y, sobre todo, avanzar en su superación personal. Por otra parte, siempre existe la posibilidad de pasar a etapas de mayor consumo o de desarrollar la adicción contra la propia voluntad del consumidor.

Sería negligente no aceptar que la intervención de los adultos para tener un intercambio positivo con los hijos es una responsabilidad que debe ejercerse con madurez y desde una posición bien ganada de autoridad moral. Por ello, no está de más que recordemos a los padres de familia cómo es que sus propias actividades pueden contribuir a que se sientan mejor, más capacitados para enfrentar los problemas de la vida cotidiana. Lo que diremos ahora es asunto de sentido común, aunque numerosos estudios han señalado a lo largo de muchos años que el uso adecuado del tiempo libre es muy importante para permanecer sin tensiones, o por lo menos para enfrentar mejor los malos momentos.

El hombre común puede buscar relajación y bienestar en multitud de actividades, muchas de las cuales se realizan en compañía de amigos o seres queridos. Señalemos las siguientes:

* Visitar amigos o recibirlos en el hogar. Muchas personas se reúnen periódicamente con viejos amigos de la escuela o compañeros de actividades deportivas o laborales. Por lo general forman grupos de individuos que comparten intereses comunes, fomentan la discusión de los temas de actualidad o dedican un tiempo a disfrutar las trasmisiones deportivas. Los hijos tienen también la oportunidad de hacer amigos, jugar con ellos y compartir con los adultos diversiones y entretenimientos.
* Visitar museos, exhibiciones, ferias, mercados, iglesias, plazas y barrios de la ciudad. Esta es una costumbre que se ha ido perdiendo, aunque afortunadamente muchas familias la conservan. Las grandes ciudades ofrecen las más variadas posibilidades, pero si buscamos información nos sorprenderemos de lo mucho que se puede hacer en poblaciones menores y sus cercanías. Por lo demás, son actividades gratuitas o muy económicas, al alcance de todas las posibilidades.
* Asistir a conciertos, obras de teatro, exhibición de películas, etc., de preferencia con la familia, alternando los inte-

reses de cada miembro. Hay que prestar especial atención a los niños más pequeños ya que les ayudará a formar su gusto por el arte y a disfrutar la compañía de los padres en actividades fuera del hogar.

- Salir de compras. Es bueno hacerlo con planeación previa de lo que se va a adquirir, sin olvidar que sólo ver aparadores puede ser ya una diversión. Los mercados de artesanías merecen seguramente más atención de la que les prestamos, ya que son muy variados y atractivos.

- Participar en los grupos de voluntarios que actúan en múltiples campos, como el de asistencia pública (hospitales, asilos, orfanatorios), educación (sociedades de padres de familia, grupos de apoyo escolar, alfabetización), instituciones no gubernamentales que realizan programas preventivos contra enfermedades y problemas sociales (SIDA, drogadicción, alcoholismo) y tantas otras opciones que existen para realizar una labor social que trascienda, que nos deje la satisfacción de ser solidarios con quienes nos necesitan. Tal vez el voluntariado sea uno de los mejores caminos para que la sociedad rescate algunos valores. Actuar para mejorar la condición de quienes viven en desventaja, destinando a ellos una pequeña parte de nuestro tiempo y energía, es algo que proporciona satisfacción y que ayuda a sentirnos mejor.

- Practicar alguna actividad constructiva que ocupe nuestro tiempo de ocio, como arreglar el hogar (pintar, por ejemplo), cocinar, leer, entretenerse en juegos de mesa, etc. Muchas personas encuentran satisfacción física y distracción simplemente al caminar por la ciudad o permanecer en casa para realizar alguna actividad constructiva (tener un pasatiempo).

Podríamos alargar la lista, pero nos limitaremos a recordar a los adultos que existen diversas formas de obtener relajación y de manejar los estados de tensión emocional y preocupación generados en el diario acontecer. Con la participación de los hijos o sin ella, son muchas las formas en que se puede buscar tranquilidad y bienestar. Si lo logramos, no sólo estaremos haciendo algo bueno para nuestra propia felicidad, sino que favoreceremos ese diálogo con la familia al que hemos llamado *verdadera comunicación*.

Terminaremos este capítulo con las siguientes recomendaciones dirigidas a los padres de familia:

1. Sean buenos interlocutores con sus hijos: escúchenlos, respétenlos en su individualidad.
2. En el hogar, emitan mensajes claros acerca de las drogas, incluyendo a las legales (alcohol y tabaco).
3. Apoyen a sus hijos contra las presiones del medio que los incitan a consumir mariguana y otras drogas ilegales.
4. Conozcan lo mejor posible a los amigos de sus hijos sin rechazarlos en un principio.
5. Manténganse informados sobre las actividades de sus hijos y sobre los sitios que frecuentan.
6. Provoquen y mantengan un diálogo abierto y permanente con sus hijos.

Las drogas legales

6

¿Quién, después de beber su vino, se queja de su miseria?

HORACIO

Yo, vuestra copa, os descubriré con modestia aquello que ignoráis de vos mismo.

SHAKESPEARE

EL ALCOHOL: DROGA DE
CONSUMO MUNDIAL

*E*l término alcohol tiene su origen en la palabra árabe *alkuhl* que significa colirio, y que se refiere a una sustancia (antimonio) que las mujeres usaban para ennegrecerse los bordes de los párpados; también tiene el significado de "espíritu del vino" en su acepción original. En química, un alcohol es toda sustancia compuesta de carbono, hidrógeno y oxígeno que deriva de los hidrocarburos. El que nos interesa es el alcohol etílico, líquido incoloro de sabor quemante y olor fuerte que arde fácilmente produciendo una llama azulada. Otros alcoholes, como el metílico, que se obtiene de la madera, son tóxicos no potables y por ello no se usan como componentes de las bebidas. También llamado etanol, el alcohol etílico es una psicodroga adictiva, la más consumida de todas las drogas en la gran mayoría de los países, especialmente por los jóvenes y adultos en su etapa más productiva. Tiene acción depresora sobre el sistema nervioso, por ello se clasifica como sedante junto con los inhalables, barbitúricos y diversas sustancias usadas en medicina.

Sin duda el alcohol acompañó al hombre desde que se establecieron los primeros grupos sociales, los más primitivos. La fermentación alcohólica de ciertos frutos debe haberse producido al almacenarlos, de tal manera que la ingestión del etanol ocurrió incidentalmente. Quizá los hombres conocían la relación causa-efecto entre su consumo y los síntomas que producía.

Si desde el principio se establecieron algunas reglas para su uso, es asunto que desconocemos. Hay razones para sospechar que ya en épocas remotas los seres humanos experimentaron la intoxicación alcohólica, lo que lleva a suponer que algunos de ellos llegaron a ser alcohólicos. Así pues, las bebidas alcohólicas y los efectos que producen son acompañantes ancestrales del hombre. Afortunadamente, desde el principio también han existido los factores protectores físicos, psicológicos y sociales que propician que no todos los que empiezan a consumir esta droga se conviertan en adictos, es decir, en verdaderos alcohólicos.

Parece existir una pauta de consumo de alcohol bastante generalizada en los países en los que esta droga forma parte de la cultura. Durante la infancia y preadolescencia se tienen los primeros contactos en forma de probadas, que generalmente propician los adultos en el hogar. De la adolescencia a la primera juventud hay un periodo de experimentación con estados de intoxicación ocasionales, durante el cual los sujetos establecen tanto su práctica de consumo como sus propias formas de control. Después, de la juventud a la madurez y aun hasta los primeros años de la vejez, es decir, en gran parte de la vida productiva, lo más común es que los individuos consuman alcohol de manera responsable: la droga, de acuerdo con las normas y costumbres, se usa moderadamente en los momentos adecuados. Después se tiende a consumir cada vez menos hasta abandonar el hábito por completo en la senilidad. Sin embargo, una minoría no llega nunca al consumo regular y constituye más temprano que tarde el grupo de los no bebedores. Otros, aproximadamente uno de cada 10 (promedio mundial), beberán cada vez más y algunos llegarán al alcoholismo reconocible con todas las consecuencias económicas, de salud y sociales que afectarán inevitablemente al bebedor, a la familia y a la sociedad. Esas son a grandes rasgos las diferentes conductas que adoptan los hombres y las mujeres ante el alcohol en los países occidentales y en no pocos del resto del mundo.

En México, las dos terceras partes de la población mayor de 12 años ingiere bebidas alcohólicas, y según la Encuesta Nacional de Adicciones éstos son bebedores, ya que declaran haber consumido alcohol en los dos años previos a la aplicación de tal encuesta, sin especificar la cantidad ingerida. Uno de cada 8 o 9 *adultos*, hombres o mujeres, tiene problemas por beber en exceso y probablemente entre 5 y 6 millones son verdaderos alcohólicos. Las estadísticas que difunden algunas instituciones no oficiales mencionan un número mucho mayor, pero son datos equivocados que no tienen sustento en investigaciones confiables. Si excluimos a los menores y adolescentes, a los ancianos y enfermos, e incluso a las mujeres que no beben, 5 millones de alcohólicos son un porcentaje muy alto, parecido al de países como Estados Unidos o Francia. Para señalar el dramatismo de estos datos no es necesario exagerar. Bastaría con decir que México junto con Chile, Hungría y otros países, está entre los primeros 10 en cuanto a la mortalidad por cirrosis hepática debida al abuso del alcohol.

Cuando se habla de la importancia de que una alta proporción de la población consuma alcohol en forma excesiva, deben considerarse no sólo los daños a la salud del bebedor, sino todos los perjuicios que sufren terceras personas, en particular los familiares y la sociedad entera. Los daños económicos y sociales se producen por diversas vías: la disminución de la productividad, la generación de accidentes, los gastos médicos, etc., y, por supuesto, hay otros estragos que no pueden medirse. Pensemos en el sufrimiento moral tanto del bebedor como de su familia y de otros a quienes daña consciente o inconscientemente. No se piense que el responsable es sólo el alcohólico, porque también hay daños que dependen de un consumo moderado de alcohol, si se hace irresponsablemente. Tal es el caso de la ingestión de alcohol por una mujer embarazada, o por quien conduce un vehículo o maneja maquinaria peligrosa; así pues, hay problemas por la ingestión de alcohol, no sólo por el alcoholismo de una minoría.

Sin embargo, no estigmaticemos al alcohol. Los problemas que puede producir, como dijo un célebre experto, "se gestan en el hombre, no en la botella".[1] Por ello es muy importante señalar que, tratándose de una droga legal de gran tradición como acompañante de diversos eventos sociales, el riesgo está en el abuso y consumo irresponsable. Una diferencia con la mayoría de las psicodrogas ilegales es que su poder adictivo es menor, y que la verdadera adicción se alcanza sólo después de un tiempo muy prolongado (varios años) de ingerirlo en exceso y regularmente. Lo que no puede negarse es que el alcohol es la droga que produce más daño a la sociedad (por lo extendido de su consumo) y que tiene mayores repercusiones negativas en la economía.

[1] Dr. E. M. Jellinek, en su obra *The disease concept of alcoholism*.

Los efectos inmediatos. Como ya hemos dicho, el alcohol etílico es un depresor del sistema nervioso. Esto quiere decir que actúa sobre las células nerviosas (neuronas), principalmente las del cerebro, sedándolas y disminuyendo su actividad. Como las primeras zonas del cerebro que se deprimen al ingerir una o dos copas o "tragos" son aquellas que controlan la conducta, al disminuir el control queda una mayor libertad para la expresión de los impulsos.[2] El sujeto desinhibe su conducta y se muestra más sociable e impulsivo, lo que lleva a creer que el alcohol en dosis bajas es estimulante. Sin embargo, por las razones aquí expresadas sabemos que no es así: el alcohol es una droga depresora que se clasifica junto a los inhalables, los barbitúricos y los llamados tranquilizantes.

Al suspender su consumo, la fase de desinhibición se prolonga de una a dos horas. Si la ingestión de alcohol se sostiene a razón de más de una copa por hora, los efectos depresores se manifiestan principalmente en las funciones mentales superiores: el juicio, la razón, la memoria, la capacidad de comprensión y la concentración. También se afectan las áreas que controlan los movimientos corporales y la sensibilidad al dolor. Sabemos que el alcohol se empleó como anestésico cuando aún no se contaba con los fármacos modernos, a pesar de que el peligro era muy grande al considerar los otros efectos que por sí solos ponen en riesgo la vida. Los trastornos cardiovasculares y respiratorios se presentan forzosamente por la ingestión excesiva de bebidas, e incluso pueden provocar la muerte.

Sin emplear demasiados tecnicismos diremos que los cambios que el alcohol produce son observables en la conducta del bebedor, de tal modo que se pueden mencionar cuatro etapas durante la ingestión continua.

Primera etapa. El sujeto se ve relajado, comunicativo, sociable, desinhibido, como si las primeras copas lo hubieran excitado.

Segunda etapa. La conducta es esencialmente emocional, menos racional, errática. Empieza a mostrarse pobreza del juicio y del pensamiento, aparecen los primeros signos de falta de coor-

---

[2] Damos aquí el nombre de "trago" a una bebida que contiene entre 12 y 15 mililitros de alcohol puro. En la práctica, son equivalentes a un trago (o unidad como también se le llama) una botella o lata de cerveza (325 ml), una copa común de cualquier bebida destilada (tequila, brandy, whisky, vodka, ginebra, etc.), un vaso grande de pulque y una copa de vino de mesa.

dinación motriz con trastornos de la visión, del equilibrio y del habla. Se ha iniciado ya el estado de ebriedad.

Tercera etapa. Confusión mental, tambaleo importante al caminar con muchas posibilidades de sufrir una caída, a veces visión doble y reacciones variables del comportamiento (miedo, agresividad, llanto incontrolable, etc., según la personalidad del bebedor). El lenguaje se hace prácticamente incomprensible y el sujeto ya no comprende lo que se le dice.

Cuarta etapa. Se entra en una fase que puede ser irreversible, si se ingirió una cantidad muy grande de alcohol. Progresivamente se presentan vómitos, incontinencia de la orina, estupor, pérdida de la conciencia con ausencia de reflejos, estado de coma y, finalmente, la muerte por paro respiratorio.

La suspensión del consumo de alcohol en cualquiera de las primeras tres etapas provocará un regreso paulatino al estado normal, durante y después de un periodo de sueño más o menos prolongado. Cuando ya se llegó a la cuarta etapa la ayuda médica puede ser esencial para salvar la vida del intoxicado.

Los efectos a largo y muy largo plazos. La persona que bebe en exceso, digamos que hasta alcanzar la ebriedad dos o más veces a la semana, corre el riesgo de convertirse en adicto (alcohólico) si continúa esa práctica por un tiempo prolongado. Pero no es un destino inevitable: el reconocimiento personal de que tiene un problema con su forma de beber, su voluntad, la asistencia profesional y el apoyo de los grupos de autoayuda, pueden detener el proceso y llevarlo al abandono del hábito. Durante el camino hacia la adicción son probables los daños importantes a la salud, los accidentes y los problemas en el trabajo, con la familia y la ley. No se necesita ser un alcohólico verdadero para exponerse a estos riesgos, basta beber en exceso o en forma irresponsable. En lo que respecta a los daños a la salud, podemos decir, en principio, que el alcohol afecta prácticamente a todos los sistemas y tejidos del organismo cuando se ingiere en forma excesiva y prolongada, sin necesidad de que llegue a producir enfermedades propiamente dichas, salvo si se continúa bebiendo a pesar de haber alcanzado ya un alcoholismo reconocible. En esta última situación, las posibilidades de sufrir enfermedades directamente relacionadas con el alcoholismo son muy altas: cirrosis hepática, trastornos cardiovasculares, cáncer de diversos tipos, pancreatitis, etc. El abuso del alcohol produce en las personas, con diferencias notables entre unas y otras, los siguientes trastornos referidos a los aparatos y órganos que pueden dañarse:

1. *Aparato digestivo.*

   a) **Boca**: riesgo relativo de cáncer, en particular en el piso de la cavidad bucal.
   b) **Esófago**: riesgo de cáncer, especialmente cuando además existe tabaquismo.
   c) **Estómago**: gastritis, úlcera gastroduodenal.
   d) **Colon**: riesgo de pólipos y de cáncer (relativo).

2. *Hígado y vías biliares.*

   a) **Hígado**: hepatitis alcohólica, cirrosis.
   b) **Vesícula**: cálculos pigmentarios (aumenta la frecuencia).
   c) **Páncreas**: pancreatitis aguda y crónica, cáncer.

3. *Aparato cardiovascular.*

   a) **Corazón**: degeneración del músculo cardiaco (cardiomiopatía).
   b) **Vasos**: hipertensión arterial, hemorragia cerebral (arterias y venas), enfermedad coronaria (mayor riesgo con tabaquismo agregado).

4. *Sistema nervioso.*

   a) **Cerebro**: deterioro (demencia), psicosis, convulsiones.
   b) **Nervios periféricos**: polineuropatía alcohólica, neuritis de manifestaciones diversas.

Todas estas posibles consecuencias se relacionan con la *ingestión crónica y excesiva* de bebidas alcohólicas, de tal modo que los trastornos ocurren con mucha más frecuencia en los bebedores, aunque pueden presentarse en personas que no se alcoholizan con regularidad. Una complicación importante del alcoholismo es el llamado síndrome de abstinencia, que constituye un cuadro muy dramático cuyos principales síntomas son la angustia, el temblor, la sudación profusa y la presencia de alucinaciones terroríficas. Cuando el trastorno es intenso se llama *delirium tremens*, y cuando es menos grave, alucinosis alcohólica. Ocasionalmente ocurre la muerte en estas circunstancias, aunque por lo regular el tratamiento en el hospital es exitoso, sobre todo si se actúa con rapidez. Esta complicación se presenta cuando un bebedor crónico, verdadero alcohólico, suspende repentinamente la ingestión de alcohol.

El camino hacia el alcoholismo. Mientras se desarrolla el deterioro general de la salud y conforme el bebedor alcanza el verdadero estado de adicción al alcohol, su comportamiento sufre ciertos cambios que pueden describirse someramente en etapas o fases más o menos características.

1. *Primera etapa* (de cuatro a ocho años de beber con frecuencia).

   a) Difícil distinción entre bebedor social y alcohólico inicial o bebedor excesivo.
   b) Promesas repetidas de dejar de beber, incumplimiento que genera angustia y culpa.
   c) Cada vez se bebe más.
   d) Cambios iniciales de la personalidad con mayor irritabilidad y aparición de "lagunas mentales" (olvido de parte de lo que ocurrió durante la borrachera).

2. *Segunda etapa.*

   a) Se establece con mayor claridad el círculo vicioso: bebida-angustia y culpabilidad-aislamiento y desaliento-bebida otra vez.
   b) Actitud de negación y ocultación del ya evidente problema de alcoholismo.
   c) Ingestión de alcohol por la mañana, a solas y en circunstancias inadecuadas (en el trabajo, por ejemplo).
   d) Signos visibles de alcoholización muy frecuente.
   e) La bebida se vuelve una necesidad cotidiana.
   f) Pérdida del trabajo, graves dificultades familiares (separación, divorcio).

3. *Tercera etapa.*

a) Se inicia la ruina total, alcoholización permanente, graves dificultades financieras, soledad.
b) Problemas severos de salud.
c) Cambios acentuados de la personalidad.
d) Complicaciones médicas y psicológicas que pueden conducir a la muerte.

Cabe recordar que este proceso no es inevitable. En cualquier momento puede detenerse al suspender *definitivamente* la ingestión de alcohol. Es muy difícil que el bebedor regrese a los periodos iniciales y beba normalmente o en forma responsable. La experiencia nos dice que una vez que se pasa de la primera etapa, el camino más probable es hacia la adicción, hacia el verdadero alcoholismo.

No dejaremos de mencionar el daño que el alcohol puede provocar al feto en gestación cuando la mujer ingiere alcohol durante el embarazo, sobre todo en el curso del primer trimestre. Se llama precisamente **síndrome del feto alcohólico** al conjunto de síntomas y signos que se observan en el recién nacido que sufrió durante su desarrollo alcoholizaciones repetidas en el seno materno. Esto ocurre porque el alcohol que circula en la sangre materna pasa al feto a través de la placenta. Es un hecho plenamente reconocido y estudiado que el niño puede nacer con bajo peso, algunos estigmas físicos y mostrar deficiencias físicas e intelectuales durante su desarrollo. En comparación con los embarazos sanos, en estos casos son más frecuentes tanto el parto prematuro como la muerte del producto por complicaciones en el momento del nacimiento.

Líneas arriba hablamos de un consumo responsable del alcohol, pero, ¿qué significa consumir esta droga *responsablemente*? El tema nos parece muy importante porque los padres de familia deben contar con respuestas muy claras para trasmitirlas a sus hijos y que al mismo tiempo resulten útiles a ellos mismos para formar una conducta sana ante las bebidas. Para tratar objetivamente este asunto conviene recordar que antes del comportamiento con el alcohol, hay actitudes *ante* el alcohol, que a su vez provienen del grado de conocimiento que se tenga, y también de meras creencias e ideas sin base científica. Por ejemplo, quien crea y acepte que el mal radica en el alcohol y que éste es la *causa* de todos los daños que produce su abuso, tenderá a pensar que no existe forma responsable de utilizarlo y que lo más conveniente es prohibir su producción y consumo. Es el caso común de los prohibicionistas, los abstencionistas y de quienes luchan contra el alcohol por razones morales.

Otras personas generalmente tienen más información científica, y basan su actitud en la idea ya expresada de que el mal no está en la botella sino en el bebedor. Son quienes opinan que el prohibicionismo sólo acarrearía daños mayores y que el verdadero ideal no sería la erradicación del alcohol, lo cual se considera imposible, sino que *todos los que bebiéramos lo hiciéramos responsablemente*. Se trata, claro, sólo de un ideal, pero que establece una meta congruente con los hechos: quienes beben de manera responsable no llegan nunca al abuso, y menos aún al verdadero alcoholismo. También hay que decir, para tener una visión de la realidad completa, que lo contrario no es verdad, ya que se puede ser irresponsable al beber sin que eso asegure que se llegará al alcoholismo. Lo que ocurre es que suele confundirse responsabilidad con moderación, si bien es cierto que la forma responsable de beber implica moderación, se puede ser moderado y al mismo tiempo *irresponsable*. Tal ocurre, por ejemplo, cuando alguien bebe moderadamente y después conduce un vehículo, o cuando una mujer embarazada ingiere bebidas, aunque no llegue a la ebriedad.

Nosotros llamamos posición cerrada ante el alcohol a la primera de estas dos posibles actitudes, esa que aboga por la desaparición de las bebidas alcohólicas del mercado, así como por su control absoluto al considerarlas ilegales. La posición abierta es la contraria, la que admite que el alcohol existe y seguirá existiendo. La lucha para disminuir el abuso del consumo y la adicción debe darse en dos vertientes, la *educación* preventiva y la *regulación* normativa. Esta última actúa administrativamente para establecer impuestos, reglamentar la producción, asegurar la calidad, establecer la normatividad para la apertura de nuevos expendios y sus horarios de venta, así como los límites de edad para el consumo, sancionar a quienes conducen en estado de ebriedad, etc. Así pues, la posición abierta ante el alcohol, si bien no es prohibicionista, es partidaria del control racional y, sobre todo, confía en la educación para lograr que cada vez más personas de las que deciden beber alcohol, *lo hagan responsablemente*.

El alcohol etílico es una droga legal que nuestras sociedades aceptan con una actitud permisiva en lo general. Como hemos dicho, forma parte de la cultura. Al mismo tiempo, su consumo abusivo causa daños graves a la salud individual, a la economía, sociedad y familia. El alcohol en exceso, así como la otra droga legal, la nicotina contenida en el tabaco, provoca serios perjuicios a la salud, lo que obliga a realizar programas permanentes de prevención en los que la educación ocupa un lugar prominente. Sí, la educación dirigida al objetivo fundamental de que el hombre común conozca los efectos del alcohol en su organismo a corto y largo plazos, que aprenda a evitar sus efectos negativos y lo consuma responsablemente.

Beber responsablemente. El Dr. Morris Chafetz, quien fuera el primer director del Instituto Nacional contra el Abuso del Alcohol y el Alcoholismo de Estados Unidos, estableció el siguiente principio que nos parece acertado: la decisión de ingerir bebidas alcohólicas es privada y personal y la debe tomar cada individuo. Si *decide* consumir alcohol debe *asumir* la *responsabilidad* de no dañarse a sí mismo ni a los demás.

Es conveniente conservar este fundamento porque en él está implicada la definición de beber responsablemente y nos sirve para establecer ciertas premisas que ayudarán a comprender mejor el concepto que tratamos de aclarar. Aunque sabemos que pueden agregarse otras quizá igualmente importantes, las premisas son:

1. La capacidad que algunas personas adquieren por beber en exceso sin mostrar los efectos de la intoxicación no es signo de distinción, ni demuestra mayor virilidad.
2. El estado de ebriedad debe ser repudiado por la sociedad. Estar borracho no es gracioso, es la condición de una persona que ingirió una droga en exceso.
3. El abstemio, aquél que decidió no beber o hacerlo sólo de vez en cuando y en muy pequeña cantidad, no debe ser objeto de mofa o humillación. Su decisión merece respeto.
4. El beber sin control y el alcoholismo no son perversidades. El alcohólico es un individuo con problemas graves que tiene derecho a esperar ayuda de los demás aunque ignore la índole de su trastorno.

Invitamos al lector a hacer una reflexión a fondo sobre el significado de estas premisas. El tema de la responsabilidad ante el alcohol es muy amplio y no es nuestra intención desarrollarlo a fondo. Sobre este asunto los especialistas han elaborado una especie de lista de consejos para beber moderadamente, es decir, para suprimir los riesgos de pasar los límites que eventualmente pueden llevar a etapas peligrosas y a la dependencia del alcohol. Vamos a transcribir los que nos parecen más importantes, pero es fundamental no perder de vista la recomendación básica: al ingerir bebidas alcohólicas *nunca debe alcanzarse la ebriedad*, hay que tener presente que ésta se inicia prácticamente al aparecer la desinhibición, la cual bien puede ser un signo de advertencia para no continuar la ingestión de alcohol. He aquí las recomendaciones que pueden asegurarnos no beber irresponsablemente.

1. No pasar de dos bebidas "estándar" en cada ocasión, procurando que entre una y otra transcurra una hora. Una bebida estándar es lo que también se llama una unidad de bebida, equivalente a entre 10 y 15 mililitros de alcohol etílico puro. Una lata de cerveza, una copa de vino de mesa, una copa ordinaria de bebida destilada (tequila, ron, brandy, ginebra, whisky, etc.) y un tarro de pulque, contienen cada uno entre 12 y 14 mililitros de alcohol y por tanto representan una unidad o una bebida estándar. No deben ingerirse una tras otra porque el hígado metaboliza cada unidad (independientemente de la bebida que se trate) en un lapso de entre 50 y 60 minutos. Así, al ingerir una bebida cada hora, nunca se alcanzará el estado de ebriedad, siempre que se trate de personas con hígado sano. Las mujeres y personas de poco peso están más expuestas por las diferencias en el metabolismo y porque a menor volumen de sangre total, mayor concentración del alcohol absorbido en el tubo digestivo. Son quienes particularmente deben respetar la recomendación de beber menos y a menor velocidad (recordemos: una unidad por hora).

2. Aunque se siga la regla anterior, no es conveniente tomar todos los días las dos unidades. Por lo menos dos días de la semana no ha de ingerirse bebida alguna, práctica que tiene valor psicológico y físico. Por una parte, es bueno que nuestros órganos descansen de una droga capaz de crear adicción y, por la otra, al dejar de ingerirla periódicamente se refuerza la certeza personal de no necesitarla.

3. Si se va a conducir un vehículo o a manejar maquinaria o instrumentos delicados, no debe ingerirse alcohol en lo absoluto. Desde mediados del siglo xx se practicaron los primeros estudios

para conocer con precisión los efectos del alcohol en diferentes concentraciones sobre los reflejos, la capacidad de atención y concentración, la memoria y los sentidos en general. La recomendación, como resultado del conocimiento acumulado, no admite flexibilidad: lo mejor es no ingerir bebidas alcohólicas en las condiciones mencionadas. Ya lo hemos dicho: el alcohol *deprime las neuronas*, lo que equivale a decir que disminuye su capacidad funcional y de respuesta.

4. Durante el embarazo y la lactancia la mujer no debe ingerir alcohol. También sobre este asunto existe investigación científica que no deja lugar a dudas. Ciertamente, todo hace suponer que *pequeñas cantidades* no representan un peligro comprobable. Sin embargo, puesto que el alcohol atraviesa la placenta y también llega a la leche materna, lo mejor es mantener libres de esta sustancia al feto y al niño. El riesgo es mayor, vale la pena recordarlo, durante los tres primeros meses de embarazo, cuando se desarrolla el sistema nervioso del nuevo ser.

5. Por último, nos referiremos a una recomendación que se expresa frecuentemente y que puede ser razonable o bien sin fundamento, según la forma en que se manifieste. Se trata de la idea ampliamente difundida por los productores de bebidas alcohólicas, en especial por los industriales de los destilados, en el sentido de que la investigación científica demostró que la ingestión diaria de pequeñas cantidades de alcohol ayuda a prevenir las enfermedades de las arterias coronarias, sobre todo el infarto del corazón. Sin embargo, tal declaración resulta falsa e incluso peligrosa como conocimiento que se deba difundir. Se peca por omisión: falta decir que la recomendación es válida para hombres mayores de 50 años y mujeres que han pasado la menopausia, siempre que no sean fumadores crónicos y que tengan un estilo de vida saludable.

Lo anterior es un ejemplo de los mitos que suelen crearse en torno a las bebidas y que resultan aún más peligrosos cuando se dice que se basan en estudios médicos confiables. Pero, en este caso, una reflexión basada en el mero sentido común contradice ese mito. La reflexión es la siguiente: una persona con antecedentes de familiares cercanos de muerte por infarto, que lleva una vida sedentaria (poca actividad física), obesa, que en su dieta habitual incluye grasas de origen animal, que además está sujeta a tensión emocional por su trabajo o su vida familiar y que, para colmo, es un fumador crónico de más de una cajetilla diaria, ¿se beneficiaría con la ingestión diaria de una o dos unidades de bebida? La respuesta lógica es *no*. Esta persona reúne las características comunes de quien está en riesgo de padecer de las coronarias, con o sin el alcohol, aunque éste se ingiera con moderación.

Lo contrario también es cierto. Un sujeto sin antecedentes familiares de infarto, deportista, delgado, vegetariano, no fumador y de vida tranquila, ¿necesita del alcohol en pequeñas cantidades para proteger su corazón? Véase entonces que la recomendación de ingerir alcohol moderadamente como medida preventiva del infarto es válida sólo para un porcentaje de personas de cierta edad. Se dicen verdades a medias, con intenciones no muy transparentes. Y como hay muchas personas a las que satisface la explicación, sea por ignorancia o por sus expectativas de justificación, la recomendación se acepta como buena.

Dejaremos aquí esta sección dedicada al consumo de alcohol. Las razones para dedicar a esta droga un espacio mayor que a las demás se deducen fácilmente, así lo creemos, de la exposición sobre los daños que causa al individuo y a la sociedad.

EL TABACO: CAUSANTE DE MUCHAS MUERTES

> *Cada año mueren en el mundo más de tres millones de personas por enfermedades directamente ligadas al consumo de nicotina.*
>
> Organización Mundial de la Salud

Se da el nombre de tabaco a las hojas secas de una planta que crece en muchas partes del mundo. Normalmente las hojas se preparan en forma de cigarros (puros) y cigarrillos, aunque pueden fumarse en pipas. Al quemarse producen humos y vapores que se aspiran y llegan al árbol respiratorio en donde se absorben diversas sustancias provenientes de la combustión. De hecho, el tabaco contiene miles de ellas, pero las más importantes por el daño que producen a la salud son el monóxido de carbono, ciertos compuestos carcinogénicos (capaces de producir cáncer) y, desde luego, la droga responsable de la adicción, la nicotina. Ésta es moderadamente estimulante del sistema nervioso central y produce efectos que primero propician el hábito y después la verdadera adicción, sobre todo la adicción psicológica. La dependencia fisiológica no es tan acentuada como en el caso de otras drogas adictivas, pero también se presenta en los fumadores regulares.

En México, uno de cada cuatro habitantes mayores de 12 años fuma. Lo que más se consume es el cigarrillo, pero también el puro y el tabaco en pipa. Los estudios epidemiológicos nos dicen que la cantidad de fumadores va en aumento, principalmente porque cada vez un mayor número de adolescentes se inicia en el hábito. Muy probablemente esto es el resultado de la expansión de las ventas de la industria tabacalera de Estados Unidos hacia los países en desarrollo, como un esfuerzo para compensar las pérdidas sufridas en aquel país por la baja de consumo que se observa desde la década de 1980. En 1998 se apreció muy claramente que la propaganda masiva se dirigió especialmente a los adolescentes. Los mensajes, su contenido, la forma en que se presentan, los "valores" a los que hacen referencia, los modelos humanos que se eligen, muestran sin lugar a dudas el interés de los patrocinadores en iniciar en el tabaquismo a un número mayor de jóvenes. Las estadísticas nos dicen que poco a poco logran su objetivo, ya que esa estrategia se inició hace ya algunos años.

Los efectos inmediatos y a corto plazo. La nicotina es una droga que suscita reacciones complejas en el cerebro. Se absorbe muy rápidamente en los pulmones, circula en la sangre y llega al sistema nervioso y a otros tejidos, provocando taquicardia, hipertensión arterial, aumento de la acidez gástrica, pérdida de apetito, salivación y disminución de la agudeza olfatoria y gustativa. Los niveles de nicotina en la sangre aumentan rápidamente después de las primeras fumadas, pero igualmente declinan si no se continúa fumando. Ambos datos explican por qué el consumidor repite la dosis en corto plazo, y también por qué se llega pronto (semanas) a la dependencia psicológica, que es muy intensa.

El fumador utiliza su hábito para aliviar el estrés y la ansiedad e intenta mantenerse alerta ante la fatiga y la monotonía cotidianas. Pero nadie sostiene que al fumar por primera vez obtuvo estos beneficios. La tos, el mareo y la náusea son las primeras respuestas del organismo ya que, obviamente, los pulmones no están hechos para recibir humo. El fumador ha de pasar por una etapa de adaptación antes de obtener las respuestas agradables que poco a poco condicionan el hábito. Una vez que se alcanzó la dependencia, dejar de fumar requiere de una gran voluntad, pero como al intentarlo se tienen algunos síntomas desagradables como la depresión, la ansiedad, las dificultades para mantener la atención y los trastornos del sueño (generalmente insomnio), el reinicio del consumo de la droga constituye la regla, ya que al hacerlo las reacciones desagradables de abstinencia desaparecen muy rápidamente. Pero sin duda, los daños más importantes se presentan tiempo después, cuando ya se es un fumador crónico.

Los daños a largo plazo. La tolerancia al tabaco se desarrolla rápidamente, de tal modo que el consumidor pasa pronto del uso esporádico al consumo cotidiano. Un alto porcentaje de los usuarios se convierten en fumadores de más de 10 cigarrillos al día y después en fumadores crónicos, exponiéndose así a importantes problemas de salud. En promedio, los fumadores crónicos que adquirieron el hábito en la adolescencia tienen una expectativa de vida entre tres y cinco años menor que los no fumadores. En Estados Unidos mueren anualmente 340 000 personas por padecimientos atribuibles al consumo de tabaco. Es probable que en México el número de muertes sea *proporcionalmente* mayor.

Desde el siglo XIX, pero en mayor medida durante el XX se han acumulado evidencias científicas respecto a los daños que produce el tabaco. Las enfermedades del corazón, especialmente las que involucran las arterias coronarias (angina de pecho, infartos), las infecciones crónicas de las vías respiratorias (laringitis, bronquitis con tos típica, neumonías), los problemas circulatorios, el cáncer del pulmón y de la boca, la gastritis y las úlceras de estómago, son las enfermedades que esperan a gran cantidad de fumadores crónicos. El enfisema pulmonar es otra consecuencia posible que además disminuye notablemente la calidad de vida en los años previos a la muerte. Las mujeres embarazadas que fuman, en especial durante los primeros meses después de la concepción, tienden a dar a luz niños de bajo peso y a padecer problemas en el curso del parto. Un dato menos conocido, pero igualmente importante, es que las mujeres fumadoras que toman anticonceptivos están más expuestas a las enfermedades cardiovasculares y, una vez que se embarazan, a los abortos y otros trastornos.

Uno de los hechos que más llaman la atención sobre el uso del cigarrillo es que las personas afectadas no abandonan su hábito, aun a sabiendas de que éste ya les ocasiona daños a la salud. También sorprende la cantidad de fumadores que hay en el mundo y la tendencia a que haya cada vez más en muchos lugares, sobre todo la gente joven. Debido a esta amenaza real es que algunas naciones prohibieron expresamente la propaganda de cigarrillos. Otras establecieron reglas para que la propaganda no involucre a los jóvenes ni al deporte, pero es fácil comprobar que tales normas se evaden continuamente.

Las personas no fumadoras que conviven en el hogar o en el trabajo con los fumadores de alto consumo (una cajetilla o más al día), también sufren daños a su salud, sobre todo aquellos que son alérgicos a los componentes del humo del cigarro. Algunos estudios demuestran que las personas expuestas a la inhalación pasiva del humo tienen más posibilidades de sufrir cáncer del pulmón a comparación de las que no conviven con fumadores. Estos conocimientos han provocado que los gobiernos elaboren reglamentos que limiten los sitios en donde se permite fumar y que prohíban hacerlo en lugares y situaciones específicas.

Cuando se habla a los jóvenes sobre los riesgos a que se exponen si deciden fumar, conviene resaltar los daños que el tabaco produce a corto plazo. Dadas las características del adolescente, es utópico esperar que se le pueda convencer hablándole de los daños que le ocurrirán muchos años después. Parece más lógico destacar ciertos efectos de corto plazo como el mal aliento, la pérdida del gusto, el mal olor que despiden los fumadores, la disminución del rendimiento deportivo, etc. Hablarles de ello no nos exime de la obligación moral que tenemos de informarles también sobre el cáncer y el enfisema, aunque sean complicaciones muy posteriores. El mejor reforzamiento de nuestros consejos es que nosotros mismos nos abstengamos de fumar o, si somos fumadores, abandonemos el hábito, mostrando la congruencia necesaria entre el decir y el hacer. De paso, nos habremos hecho un gran beneficio personal.

LOS INHALABLES: AL ALCANCE DE LA MANO

En el lenguaje común se habla de cementos, solventes y aerosoles para referirse a las sustancias volátiles que se usan como drogas psicoactivas, pero estas denominaciones genéricas no son las más adecuadas, ya que hay inhalables que no están en esas categorías. En su mayoría se trata de productos industriales que contienen diversas sustancias tóxicas responsables de los efectos sobre el sistema nervioso, la conducta y el psiquismo de los consumidores. Estas sustancias, sean gases, líquidos o sólidos que se vaporizan al contacto con el aire a la temperatura ambiente y se pueden inhalar, se absorben en los pulmones y pasan al torrente sanguíneo que las lleva a todo el organismo. El sistema nervioso central, en especial las células nerviosas del cerebro (neuronas), es particularmente sensible, sus funciones se abaten y se puede llegar hasta la anestesia total si la cantidad inhalada es suficientemente alta. Es un efecto parecido al que produce el alcohol, aunque más rápido e intenso y, por lo mismo, potencialmente más dañino. En el cuadro 6.1 se resumen los inhalables más usados, de acuerdo con una clasificación muy difundida y aceptada.

Una característica de estas sustancias tan nocivas es que los adultos, jóvenes y menores de edad las obtienen muy fácilmente. En muchos países se tomaron medidas al respecto, y se sancionó a los expendios que violaban las reglas establecidas, pero pronto se comprobó la inoperancia de tal reglamentación. Así ocurrió también con algunas estrategias como la de agregar a

Cuadro 6.1. Inhalables más usados.

Productos industriales	*Sustancias psicoactivas*
Cementos	Tolueno, gasolinas, acetatos, benceno y otros.
Aerosoles	Hidrocarburos fluorinados, extintores del fuego y otros.
Soluciones limpiadoras	Derivados del petróleo, tricloroetileno y otros.
Removedores de pintura	Acetonas principalmente.
Fluidos inflamables	Gasolinas, hidrocarburos alifáticos y otros.
Pinturas y thínner	Tolueno, butilacetato, metanol, acetona y otros.
Otros productos derivados del petróleo	Butilacetato, tetraetilo, éter, benceno.

los productos volátiles sustancias de olor nauseabundo. La naturaleza misma de las adicciones explica el fracaso: el adicto busca el efecto de la droga y puede habituarse a los olores y sabores más desagradables. Además, no siempre pueden adicionarse tales sustancias a los productos industriales, dada la forma en que éstos se utilizan. Estamos así ante sustancias de muy fácil adquisición, baratas y de efectos casi inmediatos. A veces una sola aspiración basta para experimentarlos.

En México los inhalables ocupaban hasta hace poco el cuarto lugar después del tabaco, el alcohol y la mariguana. Los estudios más recientes del Sistema de Vigilancia Epidemiológica de las Adicciones (SISVEA) señalan que la cocaína los remplazó, aunque probablemente no entre los preadolescentes y adolescentes, sino en la población en general. Casi siempre la opinión pública motivada por las noticias e interpretaciones de los medios de comunicación se inclina a creer que la mayoría de los niños de la calle son inhaladores. La verdad es que, si bien muchos de estos menores se reúnen en pequeños grupos a inhalar thínner, cementos y gasolina, la mayoría no lo hace. La generalización se basa en una mera creencia no comprobada por los estudios epidemiológicos. Esos niños que viven de la caridad pública, los reos de las prisiones y un cierto porcentaje de preadolescentes que estudian secundaria son, sin duda, los principales consumidores de inhalables. Afortunadamente sólo una pequeña proporción de estos jóvenes continúa con este hábito al término de la adolescencia, y los que persisten dañan severamente su organismo.

Efectos inmediatos y a corto plazo. Los gases y vapores se absorben rápidamente en los pulmones y llegan al cerebro en cuestión de segundos después de la inhalación. De inmediato se abaten la respiración y la circulación, pero si la aspiración del tóxico es muy profunda se presenta desorientación, falta de control de los movimientos y pérdida parcial o total de la conciencia. La recuperación es igualmente rápida, pero no lo son tanto las respuestas que se presentan en el cuadro 6.2.

Como es fácil comprender, los daños más temibles en el corto plazo son los que se producen en el aparato cardiovascular (arritmias y posibilidad de paro cardiaco), y en el plazo más largo los ocasionados al sistema nervioso central que suelen ser irreversibles.

Cuadro 6.2. Intoxicación aguda por inhalables.	
Sentidos	Hipersensibilidad a la luz, irritación ocular, visión doble, zumbido de oídos, vértigo, mareos.
Aparato respiratorio	Estornudos, catarro nasal, tos.
Aparato digestivo	Náusea, vómitos, diarrea.
Otros	Anorexia (pérdida de apetito), dolor en el pecho, arritmia cardiaca, dolores articulares y musculares.

Como estas sustancias generan tolerancia, de tal manera que el consumidor tiende a inhalar cada vez más para obtener los resultados que desea, el peligro potencial aumenta ya que fácilmente puede alcanzarse una sobredosis. No son poco frecuentes, como se cree, las muertes por arritmia cardiaca y paro respiratorio. Hay que insistir en las escuelas, a través de publicaciones y en todo acto relacionado con la prevención de las adicciones, sobre esta realidad comprobada tanto en nuestro país como en muchos otros.

Si las reacciones que hemos descrito son tan desagradables y riesgosas, ¿por qué se consumen estas sustancias tóxicas? Simplemente porque el consumidor busca el efecto placentero inicial: un estado semejante al que se produce al ingerir unos tragos de bebida alcohólica, lo cual ocasiona desinhibición, sensación de bienestar (una vez pasados los efectos directos de la inhalación), deseos de estar con los amigos, locuacidad, etc. Por supuesto, los riesgos más graves se tienen durante la intoxicación aguda, pero pensemos en la situación insegura en que se coloca el inhalador durante el periodo, éste sí más prolongado, en que aparece la falta de coordinación motriz, la conducta errática y el impedimento del buen juicio y razonamiento. Todos estos síntomas, tan parecidos a la borrachera por alcohol, se presentan cuando el individuo se somete a una sesión común de consumo entre amigos.

Sólo diremos unas palabras sobre lo que ocurre cuando se consumen inhalables durante un tiempo prolongado (semanas, meses). Si el hábito es regular y persistente, puede desarrollarse una dependencia física de gravedad variable. Pero aunque no exista una verdadera adicción, ocurren cambios progresivos del estado de ánimo y de la conducta. Así, la depresión es la regla general, con pérdida de interés en el ambiente y disminución de la motivación para el trabajo y otras actividades. Sin embargo, lo más grave es que el uso continuo de estos tóxicos puede provocar daño cerebral con destrucción de neuronas y disminución del rendimiento intelectual.

LOS PSICOTRÓPICOS MEDICINALES

Ya dijimos que el término psicotrópico es sinónimo de psicofármaco y de psicodroga. Los psicotrópicos son sustancias que actúan principalmente en el cerebro y en el resto del sistema nervioso produciendo cambios en el psiquismo y en el estado de ánimo. Por costumbre se ha dejado el nombre de psicotrópico para designar a los medicamentos que prescriben los médicos para aliviar síntomas de trastornos psicológicos o enfermedades mentales propiamente dichas. Si bien son psicoactivos por la razón apuntada, no todos generan adicción y no deben clasificarse como drogas adictivas.

Entre los años 1950 y 1960 se produjo en el campo de la medicina lo que muchos han denominado la tercera revolución de la psiquiatría: la revolución farmacológica, caracterizada por el descubrimiento de nuevas sustancias que mostraron claramente su efectividad como tranquilizantes, antipsicóticos y antidepresivos. Entonces, se hizo posible la realización de un viejo anhelo de la medicina, la psiquiatría en particular: mantener el menor tiempo posible a los enfermos en los manicomios, asilos y hospitales. Hasta que los modernos psicotrópicos se comercializaron, el destino de los llamados enfermos mentales era su permanencia prolongada en los centros psiquiátricos por diversas razones: rechazo de la comunidad, abandono de sus familiares, incurabilidad de sus enfermedades y trastornos.

Antes de 1950 la medicina contaba con algunos medicamentos útiles para disminuir ciertos síntomas, calmar a los agitados y animar a los deprimidos. Los barbitúricos, descubiertos por Bayer en 1862, el láudano de Sydenham (extracto de opio) recomendado por Paracelso en el siglo XVI y el hidrato de cloral prescrito como hipnótico desde 1882, eran productos que en algo ayudaban a disminuir los sufrimientos de miles de enfermos recluidos a veces de por vida en los viejos hospitales. Estos últimos ganaron fama de meros reclusorios en donde se violaban los derechos humanos. Por ende, se llegó a considerar a la psiquiatría como una práctica indeseable realizada por hombres faltos de ética. Ello fue (y es) una consecuencia de esa tendencia tan extendida en los seres humanos de quitarnos culpas y arrojarlas a otros, en este caso a los médicos. Probablemente muchos de quienes han luchado por mejorar las condiciones de los enfermos mentales y lograr su rehabilitación manteniéndolos el mayor tiempo posible fuera de los hospitales, no se han percatado de que esto es ahora factible, justamente por el avance científico de la medicina sobre todo a partir de que existen psicotrópicos *efectivos*. Sí, esa década portentosa de la psiquiatría, como la han llamado los más entusiastas, nos permite ahora, entre otras cosas, regresar a su hogar al paciente esquizofrénico en unas cuantas semanas, ése que antes era huésped permanente y sufrido del hospital. Hoy podemos tratar con eficacia a una gran cantidad de deprimidos en su domicilio, y disminuir notablemente su sufrimiento y el número de suicidios dentro y fuera de los hospitales. Los psicofármacos modernos disminuyen la angustia de miles de seres humanos que pueden, con mejores expectativas, recibir ayuda psicoterapéutica y otro tipo de apoyos adicionales.

Los medicamentos comercializados desde 1950 constituyen un arsenal de primera línea en el tratamiento de los problemas psicopatológicos. Sin embargo, cuando se utilizan sin vigilancia médica se corren riesgos, uno de los cuales es la adicción con todas sus consecuencias. La realidad es que, aun cuando se trata de drogas medicinales que ameritan una receta del facultativo, su uso se ha extendido enormemente por el abuso en que suelen incurrir los pacientes y también, hay que decirlo, por los excesos de muchos médicos al prescribirlos sin justificación o al omitir las advertencias necesarias. A veces lo que empieza como un tratamiento efectivo se desvía hacia el abuso de estos fármacos y, eventualmente, hacia una verdadera adicción.

Nos referiremos brevemente a los tres grupos de psicotrópicos más conocidos, sin abusar de los términos médicos y farmacológicos; los usaremos sólo cuando sea indispensable, aclarando su significado y recomendando su búsqueda en el glosario.

Los *ansiolíticos* (sustancias que eliminan o disminuyen la ansiedad o angustia), también llamados genéricamente tranquilizantes, son los más importantes dado que la mayoría puede producir adicción. Los *antidepresivos*, eficaces en el tratamiento de la depresión y otros trastornos, integran un segundo grupo, son muy numerosos y a su vez se clasifican según su fórmula química y mecanismo de acción. Por último se encuentran los *narcóticos* y *sedantes* de uso estrictamente médico, algunos son bastante adictógenos (que generan adicción) como la heroína, la morfina y las nuevas sustancias sintéticas que se usan principalmente contra el dolor (nalbufina, por ejemplo).

Empecemos por estos últimos. Los más característicos son los derivados del opio (opiáceos), como la morfina y las sustancias sintéticas: la heroína, que es una de las drogas con mayor poder de adicción, la codeína, muy usada contra la tos y el dolor pero menos adictógena, el dextropopoxifeno (Darvón) de frecuente prescripción en padecimientos dolorosos, y otras formas farmacéuticas como la nalbufina (Nubain) y la meperidina (Demerol). De los narcóticos mencionados, unos más (heroína, nalbufina) y otros menos (codeína, dextropopoxifeno), *todos* son capaces de producir adicción. Es el criterio médico el que debe decidir en cuáles casos se han de usar, una vez que se considere el costo-beneficio y, por supuesto, en qué dosis, durante cuánto tiempo y con cuál procedimiento.

Es del conocimiento general que la heroína es una droga de uso ilegal muy extendido, que se obtiene en el mercado negro y que es sumamente dañina. No le hemos dado un lugar aparte al hablar de algunas de las drogas ilegales porque en México, salvo en las ciudades de la frontera norte, se consume relativamente poco y no constituye un problema grave o inminente para los jóvenes y adultos. En otros países, como Pakistán, el consumo de heroína aumentó enormemente y constituye el principal problema en cuanto a las adicciones, sobre todo porque se asocia al gran riesgo de contagio del SIDA por el uso compartido de jeringas. Lo mismo podríamos decir de los otros narcóticos citados, junto a los cuales se mencionó a los sedantes, que incluyen a los barbitúricos, sustancias también útiles en medicina cuyo uso es cada vez menor. Las personas de mayor edad probablemente recuerden los nombres de medicamentos más usados en el pasado, como el Nembutal, el Seconal y el Amytal. En la actualidad aún se prescriben, pero tienen indicaciones muy precisas y su manejo debe ser estrictamente médico. Nunca deben mezclarse con bebidas alcohólicas o con otros medicamentos ya que son depresores del sistema nervioso y al combinarse pueden provocar la muerte por paro respiratorio. Desde luego, se trata de sustancias adictógenas que producen un grave síndrome de abstinencia cuando el adicto suspende su consumo. Es posible ver a pacientes que alternan el uso de estos poderosos sedantes con estimulantes como las anfetaminas y la cocaína. Puede comprenderse el severo daño que produce esta práctica.

Por lo general, los antidepresivos no provocan adicción fisiológica pero sí psicológica, pues quienes los han usado por prescripción médica con resultados satisfactorios, suelen temer una recaída en la depresión y continúan el tratamiento por tiempo mayor que el necesario. El mejor consejo es seguir al pie de la letra las instrucciones del médico, reportándole los cambios observados en la sintomatología y el estado emocional. Algunos de los antidepresivos más conocidos son: Tofranil, Pertofran, Anafranil, Tolvón, Aurorex y, entre los modernos, Prozac, Altruline, Paxil, Seropram y Efexor.

Los primeros tranquilizantes, como la hidroxicina y las benzodiacepinas, se formularon en la década de 1930, pero su uso médico empezó a generalizarse por 1957, cuando se conoció el efecto tranquilizante de otra sustancia que se hizo muy famosa, el meprobamato, conocido con el nombre de Equanil. En nuestro medio, tal vez el tranquilizante benzodiacepínico más conocido es el Valium, nombre farmacéutico del diacepan, aunque existen muchos otros pertenecientes a la misma familia química; mencionaremos por su denominación farmacéutica a los que se conocen más: Librium, Ativán, Lexotán, Halción, Bonare, Tafil, Victan, Tranxene, Dormicum. Los principales efectos de estos ansiolíticos son:

- Disminución o eliminación de la ansiedad.
- Sedación, lo que provoca un estado de menor interés por el ambiente.
- Control de las convulsiones (de ahí su uso en la epilepsia, asociados a otros medicamentos).
- Relajación muscular, lo que contribuye a la sensación de tranquilidad.
- Posible amnesia de los hechos recientes.

Se comprende que el uso médico de estos medicamentos está indicado en diversos problemas que se presentan con angustia severa capaz de provocar gran sufrimiento. Pero una vez más diremos que se debe valorar la relación costo-beneficio, sobre todo si consideramos la posibilidad de adicción a la droga. Todas las benzodiacepinas que se conocen son potencialmente adictivas y se conoce muy bien la sintomatología que se presenta durante la abstinencia: irritabilidad, insomnio, depresión, angustia. Pero además, prácticamente todas producen efectos secundarios indeseables y algunas tienen contraindicaciones precisas o no deben suministrarse junto con otros medicamentos.

En ocasiones, el hecho de recurrir a los tranquilizantes y a los antidepresivos se plantea como un problema moral. Se dice que es más natural vivir la angustia o superar la depresión por esfuerzo propio o con ayuda psicoterapéutica sin las "muletas" de las pastillas. No pretendemos hacer una larga exposición sobre este tema, simplemente diremos que *cuando están realmente indicados* (angustia grave o permanente, depresión con riesgo de suicidio, cuadros psicopatológicos específicos), su prescripción puede proporcionar al paciente *un gran beneficio*. Digámoslo así: los psicotrópicos medicinales, *cuando se usan en forma adecuada bajo supervisión médica* benefician notablemente al paciente, pero no son la panacea que lo alivia todo, ni implican los graves daños que se les atribuyen necesariamente.

BIBLIOGRAFÍA

Arif, A., *Overview and Classification of Volatile Solvents Inhalants*, OMS, Ginebra, 1986.
Centro de Estudios sobre Alcohol y Alcoholismo, *Las bebidas alcohólicas y la salud*, Trillas, México 1990.
Chafetz, Morris, *A Plan to Prevent Drunk Driving*, The Health Education Foundation, Washington, 1983.
Department of Health and Human Services, *VIII Special Report to the U.S. Congress on Alcohol and Health*, Secretary of Health and Human Services, Baltimore, 1993.
Edwards, Griffith, *Tratamiento de Alcohólicos*, Trillas, México, 1986.
Institute for Study of Drug Dependence, *Drug Abuse* (ISDD25), Londres.
Instituto Nacional de Enfermedades Respiratorias, *¿Qué ganamos al fumar?*, México, 1993.

Lowinson, Joyce H. *et al.*, *Substance Abuse. A Comprehensive text-book*, 2a. ed., Williams and Wilkins, Nueva York, 1992.

Schukit, Marc A., *Drug and Alcohol Abuse, a Clinical Guide to Diagnosis and Treatment*, 3a. ed., Plenum Publishing, Nueva York, 1990.

Secretaría de Salud, *Fumar es un placer... que te hará fallecer*, Consejo Nacional contra las Adicciones, México, 1993.

Vega, Armando, *La formación del maestro ante las drogas: teoría y práctica*, Escuela Española, Madrid, 1985.

Velasco Fernández, Rafael, *Alcoholismo. Visión Integral*, Trillas, México, 1988.

_____, *Esa enfermedad llamada alcoholismo*, Trillas, México, 1989.

_____, "Detección temprana del bebedor problema", en *Las adicciones, dimensión, impacto y perspectivas*, El Manual Moderno, México, 1994.

_____, *Las Adicciones, manual para maestros y padres*, Trillas, México, 1997.

_____, *Salud mental, enfermedad mental y alcoholismo*, ANUIES, México, 1980.

Las drogas
ilegales

7

La mariguana no es una droga "benigna", y los jóvenes que deciden consumirla deben conocer el peligro potencial en el que incurren.

DR. MARC A. SCHUCKIT[1]

[1] Marc A. Schuckit, *Drug and Alcohol Abuse, Critical Issues in Psychiatry*, Plenum Medical, 1990. (El Dr. Schuckit es uno de los investigadores más reconocidos en el campo de las adicciones.)

MARIGUANA: LA DROGA ILÍCITA
DE MAYOR CONSUMO

*E*ntre las drogas ilegales, la mariguana es la que más se consume en el mundo, particularmente entre los jóvenes. En México, la encuesta nacional de adicciones e investigaciones realizadas en las escuelas oficiales y privadas, señalan con claridad que es la droga de mayor uso entre los adolescentes si se excluyen el alcohol y el tabaco. El porcentaje de fumadores de mariguana es mayor entre los alumnos de secundaria y preparatoria que en los muchachos de la misma edad que no asisten a la escuela. Las encuestas así lo señalan, pero de ello no debe deducirse que es *en las escuelas* en donde más se consume, como lo han dado a entender algunos medios de comunicación. De hecho, la escuela es, proporcionalmente, el sitio en el que sólo una minoría obtiene la droga, ya que ocupa el cuarto lugar entre 10 posibilidades. La casa de un amigo, la calle y las fiestas y reuniones de jóvenes son las fuentes que más se mencionan en la encuesta.

El 8.23 % de los estudiantes de los ciclos escolares mencionados ha probado *alguna vez* una o más drogas ilegales, 4.25 % lo hizo durante el año previo a la aplicación de la encuesta y 2.49 % en los 30 días anteriores. Entre estos últimos se encuentran los que usan una droga con frecuencia, así como quienes ya son adictos. Aun cuando *no conocemos el número de adictos*, hay razones para sospechar que la mayoría de ese 2.49 %

comprende a consumidores *ocasionales*. Para el caso de la mariguana, sólo 1.54 % de los jóvenes estudiados de la población general, la ha probado alguna vez. Sin embargo, la investigación efectuada por el sistema de encuestas en hogares urbanos tiene algunas limitaciones. Conocidos expertos han dicho que existe un probable subregistro de 50 a 100 %, lo que podría elevar las cantidades al doble. Aún así, el consumo de mariguana entre los mexicanos es muy inferior al de países como Estados Unidos y otras naciones desarrolladas cuyos estudios señalan que cerca de 40 % de sus jóvenes entre 13 y 18 años de edad la han probado y que un alto número de ellos la usan con frecuencia. Terminemos esta breve referencia a los datos epidemiológicos señalando que nuestros alumnos se inician en el consumo de alguna droga ilegal entre los 11 y los 15 años de edad, con variaciones en el porcentaje entre las diversas sustancias, aunque predominan los inhalables y la mariguana en las edades menores.

Los padres de familia, representados por asociaciones nacionales y escolares, han mostrado un gran interés por saber qué decir a sus hijos sobre los efectos y daños que la mariguana puede ocasionarles, preocupación muy explicable si tenemos en cuenta los datos citados. La información que aquí incluimos se presenta en dos formas, a pesar de que puede resultar repetitiva. La primera se basa en las preguntas que con mayor frecuencia formulan los adultos cuando asisten a charlas y conferencias sobre el problema de las adicciones. La segunda es una transcripción del resumen ejecutivo que publican los servicios de salud de Australia en 1995, como conclusión de una investigación exhaustiva realizada a petición de su Congreso Nacional. En todo caso, el lector puede estar seguro de que los datos aquí consignados provienen de estudios científicos que no admiten dudas[2] (cuando no existe certeza en la respuesta así se hará saber).

¿QUÉ ES LA MARIGUANA?

Se llama así a una mezcla de hojas y flores secas desmenuzadas de la planta *Cannabis sativa*. La mezcla tiene un color gri-

---

[2]La presentación en forma de preguntas y respuestas se basa en una publicación del *National Institute on Drug Abuse* de Estados Unidos (con autorización).

sáceo pero puede ser café o incluso ligeramente verdosa. Si se extrae el aceite de las flores y de otras partes de la planta se obtiene una pasta oscura a la que se da el nombre de hashish o hachís, que igualmente puede fumarse y que es más fuerte que la mariguana. Cualquiera que sea su presentación, la sustancia activa es el THC (delta-9-tetrahidrocanabinol), responsable de los efectos que la mariguana produce sobre el psiquismo y el organismo del fumador. La mezcla contiene más de 400 sustancias, pero sólo el THC es psicoactivo. Es conveniente tener en cuenta que ya se logró obtener mariguana con mayor contenido de canabinol de efectos más intensos.

La mariguana común contiene aproximadamente 3% de THC, aunque existe una variedad llamada sin semilla que puede llegar a tener 20%, con un promedio de 7.5. La concentración en el producto que ordinariamente se obtiene en la calle es muy variable, de ahí las grandes diferencias en cuanto a su potencia. Como regla general, el hachís es más potente que la mariguana que fuma la mayoría de nuestros jóvenes.

¿Cómo se consume?

Generalmente se fuma en cigarrillos preparados para el efecto, a veces mezclada con tabaco, aunque también puede fumarse en pipa. En algunos países como la India se come mezclada con alimentos, siendo necesarias mayores cantidades para obtener los resultados deseados. Tal como ocurre en otras actividades humanas, se presentan modas y estilos de consumo en las diferentes culturas, así, hoy día es corriente que en las sesiones para fumar en grupo se consuma simultáneamente alcohol, práctica que cada vez es más común en nuestro medio.

¿Qué puede llevarnos a sospechar que un joven, tal vez nuestro hijo, consume mariguana?

Existen signos observables en quien se encuentra bajo los efectos de una dosis común de mariguana, pero la respuesta es variable, al punto de que en algunos casos apenas son perceptibles, mientras que en otros se presentan con bastante claridad. Los signos más comunes son:

- Aturdimiento con problemas de falta de coordinación al caminar.
- Simpleza (reír fácilmente como bobo, por ejemplo).
- Enrojecimiento de los ojos.
- Incapacidad para recordar los hechos más recientes.

Una vez que pasaron los efectos inmediatos, que a veces duran unas cuantas horas, el chico suele quedar soñoliento o dormir profundamente. En cuanto a la conducta, por lo regular ocurren algunos cambios, pero es muy importante recordar que pueden deberse a las características propias de la adolescencia y no necesariamente a los efectos de la mariguana. Los estados frecuentes de tristeza y depresión, con tendencia al aislamiento, forman parte de un cuadro general que se caracteriza porque los cambios se producen en corto plazo, casi repentinamente. El muchacho puede mostrarse hostil y oposicionista, lo cual provoca que su relación con los miembros de la familia se deteriore y se torne difícil. Posteriormente pueden observarse cambios negativos en su rendimiento académico (bajas calificaciones, reportes de ausentismo o retardos, etc.) y una pérdida de interés en los deportes o en otras actividades positivas que antes realizaba con gusto. Por lo general, el fumador de mariguana cambia sus hábitos de alimentación y de sueño, situación fácil de observar y sobre la cual no da explicación suficiente.

Los padres que sospechan que su hijo fuma mariguana deben poner atención en los siguientes puntos:

- Presencia de la droga en sus objetos personales o sus ropas.
- Olor extraño (a petate quemado) en su cuarto, en el baño, etcétera.
- Uso de incienso o perfumes y desodorantes.
- Uso de gotas para los ojos (con el fin de evitar el enrojecimiento).
- Posesión de carteles, ropas y otros objetos en los que se hace referencia a las drogas.

¿Es verdad que quienes fuman mariguana, tarde o temprano empiezan a consumir otras drogas?

La mayoría de los jóvenes que fuman mariguana no llegan a probar otras drogas. Pero debe reflexionarse sobre este dato: *pocos son los muchachos que consumen drogas ilegales (cocaína, heroína, alucinógenos) que no pasaron primero por la mariguana y siguen fumándola.* Así pues, quienes la usan están sujetos a un mayor riesgo de cambiar a otras drogas o de consumirlas sin abandonar el hábito original. Ello no debe sorprendernos, pues hasta cierto punto resulta lógico que los fumadores de mariguana entren más fácilmente en contacto con quienes usan otras drogas y con aquéllos que las ofrecen o venden.

¿Cuáles son los efectos de la mariguana?

Digamos primero que la respuesta personal depende de varios factores. Mencionaremos los principales:

* La cantidad de THC que contiene la mariguana que se fuma.
* La experiencia del consumidor y sus expectativas.
* El ambiente en el que se consume la droga.
* La cantidad consumida y si es que se combinó con alcohol u otras sustancias.

Algunos de quienes prueban la mariguana por primera vez no manifiestan efectos claros, ya sean placenteros o molestos. Otros, en cambio, pueden sufrir una reacción muy desagradable de verdadera intoxicación. Finalmente, el porcentaje más alto de fumadores regulares incluye a quienes se sienten relajados y perciben más intensamente los colores, sabores y sonidos, y encuentran interesantes o graciosos algunos acontecimientos que en realidad son triviales. Sienten que el tiempo transcurre lentamente (unos minutos pueden parecer una hora), y a veces se tiene una sensación de sed y hambre.

Los efectos señalados, sobre todo si se presentan en varios miembros de un grupo de amigos, crean un ambiente de placidez, relajación y "simplonería" en el que los diálogos se vuelven fácilmente intrascendentes. Pese a ello es frecuente que quienes fuman en compañía crean que conversan sobre temas importantes y hasta profundos; si se trata de jóvenes que se dedican a la música se convencen de que su producción musical es mejor. En fin, descubren que el ambiente logrado es de felicidad y bienestar, y es explicable que deseen repetir la experiencia. También se entiende que en esa situación disminuyen notablemente la preocupación por cumplir los deberes escolares o las obligaciones familiares. Pero los adultos deben aceptar que la droga produce en quienes ya tienen experiencia, un estado *evidentemente placentero*, ya que de otro modo sería muy fácil que se abstuvieran de fumarla. En realidad, si no fuera por otros efectos de la droga que veremos después y por el hecho inocultable de que *produce adicción*, muchas personas no aceptarían los argumentos para desaprobarla. Para otros, seguramente los más razonables, lo que llevamos dicho sería motivo suficiente para reprobar su consumo.

En cuanto a otros efectos físicos de la mariguana señalaremos los siguientes. Después de unos minutos de haberla fumado el usuario puede sentir la boca seca, experimentar palpitaciones y disminuir su capacidad para coordinar sus movimientos y mantener el equilibrio corporal (como ocurre con la ingestión de alcohol). La velocidad de reacción a los estímulos disminuye y se presenta vasodilatación local en las conjuntivas, lo cual provoca enrojecimiento de los ojos. No todos los fumadores, aunque sí un buen número de ellos, sufren un aumento notable de la presión arterial y taquicardia (aumento del número de pulsaciones cardiacas por minuto). Después de unas dos o tres horas los efectos van desapareciendo y puede presentarse, como ya dijimos, sueño profundo.

El THC contenido en la mariguana se distribuye en todo el cuerpo por efecto de la circulación sanguínea, y se absorbe principalmente en los tejidos adiposos (grasosos) de diferentes órganos. Es fácil detectar trazas del THC (metabolitos) en la orina del fumador varios días después de una sesión ordinaria de consumo, y en el caso de los grandes consumidores de mariguana o hachís, los análisis resultan positivos incluso semanas después de haber suspendido el consumo.

¿Pueden presentarse reacciones peligrosas?

Sí. Algunos novatos (aunque también puede ocurrirle a los consumidores experimentados) sufren una crisis de angustia severa que se acompaña de pensamientos paranoides (ideas infundadas de persecución o de daño sobre su persona). Esto ocurre más fácilmente si la dosis de THC es muy alta, o si el consumidor tiene antecedentes de problemas emocionales. En casos aún más raros puede presentarse un cuadro de psicosis (locura en términos populares) que amerita tratamiento médico de urgencia. En general, estos "malos viajes" son más graves cuando la mariguana se mezcla con otras drogas, particularmente cocaína o alucinógenos. Vale decir que ni los fumadores expertos están exentos de esa posibilidad, ya que son varios los factores que influyen para que se presente. Los síntomas desagradables desaparecen progresivamente en el curso de algunas horas.

¿Qué tan peligrosa es la mariguana?

Hace todavía algunos años se discutía la validez de las respuestas a esta pregunta. Debe quedar claro que en lo que diremos a continuación *no hay dudas*, ya que se trata de un *conocimiento científico* obtenido a través de investigaciones incuestionables. La mariguana puede dañar en diversas formas, lo que se infiere a partir de las respuestas a las preguntas anteriores. Existen posibles daños a corto plazo, pero también como resultado de consumir la droga durante un tiempo prolongado. En cuanto a los primeros, la mariguana produce una disminución de la memoria, sobre todo para los acontecimientos más recientes, lo que a su vez provoca incapacidad para resolver o manejar problemas y realizar tareas no muy complejas (incluso tareas *simples*, sobre todo si la mariguana que se fumó contiene alta concentración de THC). Debido a los cambios provocados en la percepción, la velocidad de reacción y la efectividad de los reflejos, la posibilidad de sufrir un accidente al conducir un vehículo es mayor, más aún si al mismo tiempo se consume alcohol (no necesariamente en gran cantidad). También aumenta el riesgo de participar en actividades sexuales inseguras porque se omiten las medidas precautorias aconsejadas. Los embarazos no deseados, las enfermedades venéreas y el SIDA son más frecuentes en los fumadores de mariguana que en los jóvenes que no consumen ésta ni otras drogas.

El asunto de los accidentes amerita una información complementaria, porque los jóvenes no perciben el peligro con claridad, y de hecho muchos de los consumidores lo niegan. Ocurre que la mariguana dificulta precisamente las habilidades necesarias para conducir un vehículo y para el manejo de maquinaria e instrumentos que no son muy complejos. Por ejemplo, se afecta la percepción de la profundidad y se calculan mal las distancias, se distorsiona la percepción de las luces y los sonidos, asimismo se experimenta una sobrada confianza injustificada para tomar decisiones rápidas. Todos estos efectos que propician gran cantidad de accidentes, se ratifican claramente en los estudios practicados. Las investigaciones más serias nos revelan que 15% de las personas accidentadas que se atienden en las unidades de emergencia en Estados Unidos, se encontraban bajo los efectos de la mariguana al sufrir el percance, en tanto que otro 17% consumió una mezcla de esa droga con bebidas alcohólicas.

En un estudio realizado en la ciudad de Memphis, Estados Unidos, se encontró que de 150 arrestos de conductores que violaron reglas de tránsito, especialmente las relacionadas con la velocidad y el respeto a las señales, 33% fumaron mariguana y en 12%, *además*, resultó positiva la prueba de la cocaína. Pero esta es sólo una de las investigaciones que pueden citarse de entre cientos realizadas en todo el mundo. Nos interesa que no haya dudas en el lector de que los datos consignados aquí son irrefutables y bien conocidos por los expertos.

¿Cuáles son los efectos a largo plazo del consumo de mariguana?

Todavía existen lagunas de conocimiento en este campo, pero contamos con datos plenamente comprobados que mencionaremos a continuación. Algunos se refieren a serios daños a la salud. En un estudio realizado en California, que incluyó a 450 grandes fumadores de mariguana (*no de tabaco*), se encontró que éstos faltaban con mayor frecuencia al trabajo por *enfermedad manifiesta*, sobre todo por trastornos respiratorios, en comparación con trabajadores que no consumían ninguna de las dos sustancias. El cáncer y los daños producidos sobre el aparato respiratorio y los sistemas reproductivo y de autodefensa inmunitaria, son más frecuentes en los fumadores de mariguana. Acerca del cáncer baste saber que esta droga contiene mayor cantidad de compuestos cancerígenos que el tabaco, algunos de ellos en concentraciones muy elevadas. Ciertos estudios señalan que un fumador de cinco cigarrillos de mariguana a la semana se expone tanto a las sustancias cancerígenas, como un fumador de una cajetilla diaria de cigarrillos de tabaco comunes.

En cuanto al sistema reproductivo se sabe con certeza que la mariguana afecta la producción de hormonas en los individuos de ambos sexos. El THC fumado en dosis elevadas puede retardar notablemente la iniciación de la pubertad en quienes empiezan a fumar mariguana desde pequeños. También aparecen efectos adversos en la producción de esperma que, si bien no son graves, señalan la capacidad de la mariguana de dañar los tejidos y funciones del organismo humano. En el caso de las mujeres se modifica el ciclo menstrual y se obstaculiza la ovulación (producción y descarga de los óvulos por los ovarios).

El sistema inmunológico protege al hombre de gran cantidad de agentes infecciosos que causan enfermedades. En realidad no se sabe con precisión en qué medida afecta la mariguana a este sistema, pero los estudios en animales y en seres humanos demuestran que las células de los pulmones encargadas de la defensa contra ciertas infecciones disminuyen su efectividad. Seguramente tiene relación el hecho bien conocido que ya hemos relatado: las enfermedades respiratorias infecciosas son más frecuentes en los fumadores de mariguana. Por otra parte, se encontró que el humo tiene una acción directa sobre el tejido pulmonar, dañándolo *inevitablemente*. Recordemos lo dicho en el caso del tabaco: la naturaleza no estructuró a los pulmones para recibir humo sino aire con suficiente contenido de oxígeno.

Desde que se tuvo certeza del daño que produce el alcohol sobre el feto, se han efectuado numerosos estudios para saber lo que ocurre con otras drogas. Cuando una mujer embarazada consume mariguana frecuentemente, la droga afecta el crecimiento fetal de tal manera que el niño puede tener bajo peso al nacer, tamaño corporal pequeño y menor perímetro de la cabeza. Durante sus primeros meses de vida, estos niños son proclives a sufrir problemas de salud parecidos a los de los recién nacidos de madres alcohólicas. No todos los embarazos de las mujeres consumidoras de mariguana se afectan en esta forma, pero desde luego el riesgo es mayor que en el caso de las no fumadoras, dato estadísticamente comprobado.

Por otro lado, el THC que circula en una madre fumadora que amamanta a su hijo, pasa a la leche donde se encuentra en una concentración incluso mayor. Todavía no se tiene el conocimiento preciso acerca de lo que en términos de salud significa lo anterior para el recién nacido, pero un estudio señala que puede obstaculizar el desarrollo motor del niño porque afecta el control de los movimientos musculares. En todo caso parece ser un problema que sólo retarda en alguna medida el desarrollo normal del niño. Cabe agregar que estos datos relacionados con el embarazo y la lactancia deben ser motivo de reflexión *moral*.

¿La mariguana produce daños en el cerebro?

Las investigaciones realizadas, que son muy numerosas, señalan que el THC afecta la función de las neuronas relacionadas con la memoria, lo cual explica el hecho de que durante la intoxicación el fumador tenga dificultades para recordar los hechos recientes. Durante la acción de la droga, el aprendizaje se dificulta en gran medida. Lo mismo ocurre con la realización de tareas que implican el seguimiento de pasos sucesivos para su conclusión. A largo plazo, también se afecta la capacidad de atención y concentración. Las pruebas psicométricas así lo demuestran, aun cuando éstas se apliquen en etapas de abstinencia. Así parece que el efecto pasajero que produce el THC en el cerebro puede convertirse en permanente si se fuma mariguana por tiempo prolongado.

Mediante investigaciones con animales de laboratorios se comprobó que la mariguana es capaz de dañar a las neuronas de una manera parecida a la forma en que las lesiona la edad (esto aún no se comprueba en seres humanos). Los estudios continúan para llegar al conocimiento de cómo es que los canabinoles dañan las funciones mentales, en qué medida y por cuánto tiempo.

Mucho se ha especulado sobre la posibilidad de que la mariguana cause enfermedades mentales. Podemos afirmar, con toda objetividad, que el uso continuo de la droga durante muchos años incrementa el riesgo de desarrollar estados psicóticos como la esquizofrenia, particularmente en las personas predispuestas. Algunos especialistas sostienen que a la larga, las personas que fuman mariguana en exceso sufren trastornos de la personalidad, ansiedad crónica y depresión. La verdad es que, como en tantos otros casos de trastorno mental, no se ha esclarecido la causalidad y queda siempre la duda de si la mariguana es capaz de llevar a la enfermedad mental, o si el sujeto predispuesto que fuma mariguana en exceso desarrolla plenamente su *patología preexistente*. El problema que da pie a la pregunta: ¿Qué fue primero?, se ilustra muy bien con el llamado síndrome amotivacional.

El síndrome amotivacional

Desde la década de 1960, cuando por primera vez se encontraron suficientes fumadores *crónicos* de mariguana para realizar estudios convincentes, se observó que esos jóvenes desarrollaban una especie de negligencia sobre sus propias vidas, cierta pérdida de interés en el trabajo y en las obligaciones familiares, sociales y aun las personales, fatiga sin explicación suficiente y, lo más notable, una disminución de las motivaciones normales para su edad y situación. Asuntos que previamente llamaban su atención y reclamaban su participación como los deportes, la creatividad, las causas sociales, etc., perdían importancia y eran considerados con indiferencia creciente. Por supuesto, una de las consecuencias es el estancamiento en el trabajo, el rendimiento académico y la *superación personal*.

Síndrome es un término que se aplica en medicina a un conjunto de síntomas y signos que caracterizan a una enfermedad o a un cuadro patológico más o menos específico. **Amotivacional** es una expresión que proviene de *a*, que quiere decir *sin*, y *motivación*, entendida como el deseo o la inclinación por realizar algo en particular. Así pues, síndrome amotivacional es una excelente forma de expresar lo que ocurre en estos casos. El fumador crónico simplemente disminuye y, en algunos casos, pierde el interés en las actividades que las personas comunes hacemos por útiles, productivas y convenientes.

Decíamos que a veces no es posible saber qué es lo primero. Sin embargo, hay cada vez más evidencia de que el consumo intenso y prolongado de mariguana es la causa de esa forma deficiente de expresión vital. El lector estará de acuerdo con que resulta impresionante ver a hombres y mujeres, en la etapa más productiva de la vida, atrapados en una especie de inercia emocional sin interés suficiente en las cosas que hacen más valiosa la vida de los seres humanos. Este solo efecto de la mariguana sería suficiente para que los jóvenes más razonables se abstuvieran de consumirla, aunque el síndrome amotivacional sea sólo una posibilidad.

¿La mariguana provoca adicción?

Por razones didácticas aún se distingue entre adicción psicológica y adicción física. Cuando una persona *necesita* la droga para sentir sus efectos porque le hacen falta para sentirse bien, se dice que ha desarrollado la dependencia o adicción *psicológica*. Algunas drogas, con el tiempo y la continuidad de su consumo, se vuelven necesarias para el funcionamiento del organismo, de tal manera que si se suprimen aparecen síntomas y signos desagradables, a veces intensos y peligrosos para la salud. Se dice entonces que la dependencia es *física*, lo que no impide que la *psicológica* esté también presente en el mismo individuo. El conjunto de signos y síntomas que se presentan cuando un adicto suprime repentinamente el suministro de la droga se llama **síndrome de supresión** o **síndrome de abstinencia**.

La mariguana produce, sin lugar a dudas, dependencia psicológica en la mayoría de los jóvenes que la fuman cotidianamente durante un tiempo prolongado. También se comprobó que se trata de una droga capaz de llevar a la adicción física, ya que muchos consumidores crónicos, al suspender su consumo, presentan un síndrome que se caracteriza por inquietud física, anorexia (pérdida de apetito), dificultad para dormir, disminución de peso y temblor visible de las manos. No hay duda de que la respuesta a la pregunta inicial es: sí, la mariguana es una sustancia psicoactiva y *adictiva*. Sabemos que su uso provoca también el fenómeno de la *tolerancia* que consiste en el desarrollo de cierta capacidad para metabolizar la droga, de tal modo que se necesitan cada vez mayores cantidades para obtener los mismos efectos. Es lo mismo que ocurre con el alcohol en las primeras etapas de su abuso: el bebedor aguanta cada vez más e ingiere fuertes cantidades antes de alcanzar la ebriedad. La tolerancia es, junto con el síndrome de abstinencia, la característica principal de la adicción física.

¿Puede usarse la mariguana como medicamento?

Incluimos esta pregunta porque el tema ha vuelto a ponerse de moda a raíz de la aprobación de una ley que legaliza el uso de mariguana con fines curativos, dotando al médico de la facultad de prescribirla en dos estados de la Unión Americana. Está plenamente comprobado que la mariguana tiene efectos que podrían utilizarse en medicina: disminuye la presión intraocular que es mayor en los casos de glaucoma, mejora el apetito de los pacientes de SIDA y suprime la náusea y el vómito de los enfermos de cáncer terminal. Incluso se ha obtenido un derivado del THC, llamado nabilone, aún más efectivo en esos casos. ¿Por qué se prohíbe entonces el uso médico de la mariguana? Principalmente por dos razones: una es porque existen medicamentos más efectivos que la mariguana para lograr los mismos resultados en cada uno de estos casos, y la otra por el riesgo de provocar adicción. Nosotros agregaríamos una razón más. Si la mariguana o el THC circulan con menos restricciones pueden usarse ilegalmente por quienes no tienen necesidad médica de hacerlo. Pero serán nuevas investigaciones las que nos proporcionen las bases para decidir sobre este punto, considerando el costo-beneficio de prescribir THC en los padecimientos en que sea útil como medicamento.

¿Existe un tratamiento efectivo contra la adicción a la mariguana?

Sólo en los años recientes se cuenta con tratamientos específicos, ya que por lo general se habían establecido formas de terapia iguales para las diferentes adicciones. Con algunas variantes, los tratamientos consideran la desintoxicación, el uso de medicamentos, distintas psicoterapias (de apoyo o interpretativas), modificación de conducta, terapias de grupo, asistencia a grupos especiales de autoayuda, etc. La atención que se presta más comúnmente a los adictos a la mariguana consiste en un consejo psicológico que da un psicoterapeuta, en combinación con el apoyo de un grupo al que se asiste como anónimo. Muchos jóvenes se recuperan y abandonan por completo el hábito de fumar mariguana, pero desafortunadamente un cierto porcentaje consume además otras drogas, lo que complica el tratamiento y hace más serio el pronóstico.

La familia desempeña un papel esencial en cualquier tratamiento. Los padres y hermanos deben participar en la forma que aconseje el terapeuta. A veces, dependiendo del grado de intoxicación y del tiempo transcurrido desde que el adicto inició el consumo de mariguana, es necesario el internamiento en una clínica o un centro especializado. El tiempo de internamiento debe ser suficiente para lograr la desintoxicación completa y el establecimiento de una psicoterapia que proseguirá después de abandonar la clínica. Obviamente, las complicaciones de carácter médico debe atenderlas el médico familiar o el especialista, según sea el caso.

Cada vez más centros educativos y universidades oficiales y privadas crean servicios de atención psicológica para sus alumnos, de manera que ahí puede acudirse en busca de apoyo y orientación. Asimismo, las instituciones oficiales como los centros de salud, los centros comunitarios de salud mental y los hospitales y clínicas ofrecen servicios de orientación y consejo a los adictos y sus familiares. En México existen más de 50 Centros de Integración Juvenil, una institución no oficial que opera principalmente con fondos que le proporciona el Estado, y que cuenta con varias clínicas de internamiento. Otras instituciones no gubernamentales como Narcóticos Anónimos proporcionan ayuda psicológica y médica.

¿Se puede prevenir la adicción a la mariguana?

Los programas preventivos se realizan con el fin de abarcar a todas las drogas adictivas. En términos generales, son dos las grandes vertientes para su aplicación: a) actuar para disminuir la oferta de las drogas y b) procurar la disminución de la demanda, es decir, tratar de evitar el consumo. Lo primero constituye principalmente cuestión de seguridad pública y de combate al narcotráfico y a los delitos relacionados con éste (desde la siembra de estupefacientes hasta el lavado de dinero). Lo segundo es asunto de educación y salud. Actualmente todo país desarrollado atiende ambos aspectos y cada vez existe una mayor tendencia a equilibrar los esfuerzos, reconociendo que la prevención dirigida hacia la disminución del consumo y de la demanda es, por lo menos, tan importante como la lucha contra el delito. Si logramos que cada día menos jóvenes empiecen a consumir drogas, es obvio que también disminuirá la demanda, lo que irá haciendo innecesaria la oferta.

Quienes creen que sería conveniente legalizar las drogas suelen argumentar que la educación preventiva fracasó y que la batalla contra las adicciones y el narcotráfico está perdida. Nos interesa señalar que lo primero es falso: la educación ha dado frutos demostrables en muchos países. Actualmente, en algunas naciones el consumo de drogas ha disminuido notablemente. Por otra parte, cabe preguntarnos si los índices de consumo y drogadicción serían los mismos si no se hubieran realizado los programas educativos y las demás acciones preventivas. Lo que sí sabemos es que ningún país destinaría tanto apoyo económico a sus programas de educación y salud, si no obtuviera los resultados positivos que comprueban sus evaluaciones. Además, la experiencia adquirida propicia que las estrategias y acciones sean cada vez mejores. Ocurre que los resultados se alcanzan a largo plazo. Nadie espera que la actitud hacia las drogas cambie con sólo introducir programas educativos en las escuelas, preparar a los maestros y orientar a los padres de familia. Es necesario mantener el esfuerzo, continuarlo y evaluarlo para hacerlo cada vez mejor. Los resultados positivos se observarán con el tiempo y no hay que desesperar por ello. Es necesario insistir en que los cambios de actitud no se logran fácilmente, sobre todo cuando tantas influencias negativas se ejercen masivamente sobre la juventud.

Terminaremos esta sección recomendando a los padres de familia que al dialogar con sus hijos sobre las drogas y sus efectos, particularmente cuando se trate de la mariguana, lean junto con ellos estos párrafos de preguntas y respuestas. Tal vez este procedimiento deje menos dudas en unos y otros. En todo caso, se habrán tocado los puntos que más interesan a los jóvenes ya que el texto se elaboró con lo que al respecto revelan las investigaciones realizadas en diferentes países. La lectura en reunión familiar tiende a eliminar la actitud autoritaria, favoreciendo la discusión en un plano de igualdad y respeto.

A continuación se presenta el documento que los expertos australianos enviaron al Congreso de su país en 1997, al cual nos referimos al principio de esta sección.

PRINCIPALES EFECTOS ADVERSOS DE LA MARIGUANA EN LAS ÁREAS FÍSICA Y PSICOLÓGICA[3]

Efectos agudos

• Ansiedad, pánico y paranoia, especialmente entre los consumidores novatos.
• Trastornos cognitivos, principalmente en lo que se refiere a la atención y memoria, durante el periodo de intoxicación.
• Trastornos psicomotores y aumento del riesgo de sufrir un accidente si se conduce un vehículo o se opera maquinaria durante el periodo de intoxicación.
• Incremento del riesgo de experimentar síntomas de carácter psicótico entre los sujetos vulnerables, en virtud de sus antecedentes psicóticos personales o familiares.
• Aumento del riesgo de dar a luz bebés de bajo peso cuando se consumió mariguana durante el embarazo.

Efectos crónicos

Aún no se cuenta con suficiente conocimiento sobre los efectos físicos y psicológicos más graves del consumo crónico y excesivo de *Cannabis*, sobre todo después de su uso diario por muchos años. Sin embargo, existe evidencia de que las principales consecuencias son las siguientes:

• Enfermedades respiratorias asociadas directamente con el hecho de fumar mariguana, como bronquitis crónica, y cambios histopatológicos que pudieran ser precursores de la aparición de tumores malignos.
• Desarrollo del síndrome de dependencia de *Cannabis*, caracterizado por la incapacidad de abstenerse de su uso o controlar su consumo.
• Ciertas formas de trastornos cognitivos, particularmente de la atención y memoria, que persisten durante la intoxicación crónica y que pueden ser irreversibles aun después de un periodo prolongado de abstinencia.

[3] Traducción libre del inglés.

A continuación se reportan algunos de los posibles efectos graves del uso crónico y excesivo de *Cannabis*, que deberán confirmarse en futuras investigaciones.

- Incremento del riesgo de cáncer del tracto aerodigestivo (cavidad oral, faringe y esófago).
- Incremento del riesgo de leucemia en los recién nacidos expuestos a *Cannabis* durante la gestación.
- Disminución del desempeño laboral entre los adultos cuya ocupación requiere de alto grado de capacidad cognitiva. Entre los adolescentes, un impedimento de los logros educativos.
- Defectos de nacimiento entre los hijos de mujeres que consumieron *Cannabis* durante el embarazo.

Grupos de alto riesgo

Adolescentes

- Los adolescentes con antecedentes de un desempeño escolar pobre pueden limitar aún más sus logros educativos en virtud de los trastornos cognitivos que produce la intoxicación crónica con *Cannabis*.
- Los adolescentes que se inician en el consumo de la mariguana a temprana edad (a partir de los 12 o 13 años) corren un mayor riesgo de consumirla excesivamente y de usar otras drogas ilícitas, así como de desarrollar el síndrome de dependencia de la *Cannabis*.

Mujeres en edad reproductiva

- Las mujeres embarazadas que continúan fumando mariguana enfrentan un riesgo mayor de dar a luz niños de bajo peso. También existe la probabilidad de que disminuya el periodo de gestación.
- Las mujeres que fuman mariguana en el momento de la concepción o durante el embarazo se encuentran en mayor peligro de dar a luz a niños con defectos de nacimiento.

Sujetos con padecimientos previos

Las personas con enfermedades preexistentes que fuman mariguana corren el riesgo de que se precipiten o exacerben los síntomas de sus enfermedades. Entre éstas se incluyen las siguientes:

- Padecimientos de las arterias coronarias, enfermedad cerebrovascular e hipertensión.
- Enfermedades respiratorias como asma, bronquitis y enfisema.
- Esquizofrenia.
- Cuando existe dependencia del alcohol y de otras drogas se incrementa el riesgo de desarrollar adicción a *Cannabis*.

LA COCAÍNA: ESTIMULANTE CUYO CONSUMO AUMENTA EN MÉXICO

La cocaína está considerada como una de las drogas más perniciosas. Su uso intenso puede conducir a la paranoia, la psicosis y la violencia.

Organización de las Naciones Unidas[4]

Una primera clasificación de las drogas psicoactivas las divide en aquéllas que *deprimen* el sistema nervioso central y las que por el contrario, lo *estimulan*. Ya vimos que hay otras sustancias que afectan el psiquismo y que no están en ninguno de estos dos grandes grupos, por lo que se les da otros nombres genéricos como alucinógenos, narcóticos, etc. El prototipo de las drogas estimulantes es, junto con las anfetaminas, la cocaína, la cual se obtiene de las hojas de un arbusto cuyo nombre científico es *Eritroxilon coca*, que crece en muchas partes del mundo. La costumbre de masticar hojas de coca es muy antigua entre los indígenas sudamericanos, algunos sostienen que era una práctica común en el año 2500 a. C.[5] Desde luego ese hábito forma parte de la cultura

[4]Las Naciones Unidas, *El uso indebido de drogas*, Programa para la Fiscalización Internacional.
[5]Así se asegura en una publicación del *Institute for the Study of Drug Dependence*, 4a. ed., ISDD, núm. 25, 1991, Londres, EC1N 8ND, 071-430, 1991.

La cocaína **133**

de muchos pueblos andinos cuyos habitantes la usan para mitigar la fatiga producida por el trabajo intenso y prolongado.

La cocaína se extrajo de las hojas de coca como sustancia aislada en 1857. Posteriormente empezó a usarse regularmente como tónico, consumido por Papas y miembros de la realeza. En los primeros años del siglo XX se estableció en Estados Unidos la primera prohibición, después de años de su consumo libre. Formaba parte de la fórmula de ciertos medicamentos que podían adquirirse sin prescripción médica, como el afamado vino *Mariani* al que se le hacía propaganda en periódicos y revistas. La misma *Coca Cola*, el refresco de más venta, contenía coca en pequeñas cantidades, que a principios del presente siglo se remplazó por la cafeína, otro estimulante un poco menos activo.

En su forma pura la cocaína es un polvo blanco que generalmente se aspira por la nariz, aunque puede inyectarse diluido en agua, ocasionalmente mezclado con heroína. También puede fumarse preparado previamente en forma de *crack* utilizando un método sencillo que la libera del ácido clorhídrico mediante el uso de una base (sal alcalina). Por eso el *crack* recibe también el nombre de cocaína base o rocas, por el aspecto de pequeñas piedras que adquiere como resultado del proceso químico al que se somete. El *crack* fumado produce los mismos efectos que la cocaína aspirada por la nariz, sólo que ocurren más rápidamente y tienen una duración más corta. Por lo general, una dosis contiene un cuarto de gramo de polvo de cocaína, pero ésta rara vez alcanza una pureza de entre 60 y 70 %. Es frecuente que durante una jornada el usuario consuma un gramo en varias aspiraciones o en varias fumadas, pero el adicto que la usa regularmente puede llegar a necesitar de uno a dos gramos todos los días.

Efectos inmediatos y a corto plazo. Al igual que las anfetaminas, la cocaína produce una excitación generalizada que se acompaña de una sensación de bienestar (euforia) y felicidad unos minutos después de su consumo por cualquier vía, a veces casi instantáneamente. Pronto aparece una especie de indiferencia hacia la fatiga con una sensación de vigor, fuerza física y capacidad mental aumentada. En ocasiones estos efectos que evidentemente son los que el consumidor espera, se remplazan por una gran ansiedad y pánico. La respuesta es de hecho inmediata, pero alcanza su mayor intensidad en cerca de 30 minutos. En virtud de que el efecto desaparece progresiva y rápidamente, el mantenimiento del estado alcanzado exige la repetición frecuente de la dosis. Si esta situación se prolonga por horas, se puede llegar a la agitación psicomotriz, la ansiedad con pánico, el delirio paranoide (ideas de persecución) y aun las alucinaciones en casos extremos. Dosis excesivas pueden causar la muerte por fallas respiratorias o por paro cardiaco.

Después de una sesión ordinaria del consumo de esta droga, los efectos disminuyen progresivamente, pero por lo general durante las horas subsecuentes aparecen fatiga y depresión, estos efectos son equivalentes a la resaca del bebedor de alcohol después de una ingestión excesiva. Durante el periodo de mayor efecto de la droga, el usuario se muestra sobreestimulado, excitado (acelerado), habla fuerte y rápido, sus pupilas se dilatan, la mucosa nasal se irrita (a veces aparece un catarro acuoso de corta duración), el pensamiento parece cambiante y se puede observar un exceso de asociación de ideas, así como impulsividad e irritabilidad. El sujeto se encuentra más seguro de sí mismo, concluyente en sus juicios, lapidario en sus expresiones. Cuando el efecto pasa suele presentar un periodo de preocupación por lo que dijo e hizo durante la intoxicación.

La respuesta física implica la aceleración de las funciones en general: taquicardia, hipertensión arterial, aumento de la respiración y de la actividad física. La fatiga constituye la defensa orgánica necesaria para evitar una sobrecarga del aparato circulatorio, sin embargo, durante la intoxicación con cocaína el cansancio desaparece, de tal modo que se exige al organismo un esfuerzo mayor y más prolongado que lo expone a accidentes graves y aun mortales a los que ya nos referimos. Un efecto directo es la pérdida del apetito durante la intoxicación aguda, y aún un poco después, lo mismo que el insomnio, como resultado de la estimulación del sistema nervioso y de la ausencia de cansancio.

Efectos a largo plazo. La repetición del suministro de cocaína produce en poco tiempo (días o semanas) tolerancia, que se expresa por la necesidad de consumir dosis cada vez mayores para poder obtener los efectos deseados. La dependencia psicológica constituye la regla, aunque existen consumidores que sólo usan cocaína ocasionalmente y no sienten apetencia compulsiva por la droga. La dependencia psicológica se traduce en el deseo repetitivo de consumirla para obtener los efectos mencionados que son placenteros para el usuario. Después de un periodo prolongado de consumo, a la supresión puede seguir un deseo intenso de reanudar su uso, caracterizado por la agitación y ansiedad intensa, que a su vez lleva a un estado de fatiga, depresión, disminución progresiva del deseo por la droga, somnolencia y sensación de apetito incontrolable. Los especialistas suelen llamar *crash* a esta etapa. De no reanudar el consumo, después de unos días sobreviene una fase que se cataloga como síndrome de abstinencia, durante la cual el sujeto pierde interés en el medio que lo rodea, no puede disfrutar las situaciones habitualmente placenteras y vuelve a sentir avidez por la droga. Este periodo se prolonga entre una y 10 semanas hasta que el consumidor regresa gradualmente al estado normal, semejante al que tenía antes de iniciarse en el uso de la cocaína.

Basta repasar con detenimiento lo anterior, para comprender que es muy difícil evitar las recaídas, pese a la asistencia terapéutica que se proporcione. Los especialistas reconocen que esta adicción es una de las más graves por su resistencia al tratamiento y por la intensidad del daño personal y social que causa. Un dato menos pesimista es que cuando se logra prolongar el periodo de abstinencia, la disminución y aun la desaparición de la apetencia es posible, con o sin tratamiento, el gran riesgo se encuentra en esas semanas que comprenden el síndrome de abstinencia precedido por el *crash* y posteriormente la fase de abstención que tiene un alto riesgo de reincidencia.

Cuando se desarrolla la verdadera adicción y el consumo se sostiene en dosis altas (de más de un gramo diario) por un tiempo prolongado (meses, acaso más de un año), es común que se presenten síntomas psicóticos de carácter paranoide. Esto quiere decir que el adicto desarrolla delirio de persecución y otras creencias falsas que resisten a la lógica y aun a la evidencia contraria. Su vida se ve gravemente trastornada social, económica y laboralmente, al punto que se hace indispensable su internamiento con el fin de proporcionarle un tratamiento médico y psicológico que permita establecer un periodo largo de abstinencia y, si es posible, el abandono definitivo de la droga. Hay otras formas posibles de evolución cuando se consume cocaína intensa y frecuentemente por un tiempo prolongado. Después de los primeros meses pueden aparecer síntomas desagradables, la euforia se remplaza por un estado de inquietud e irritabilidad que se acompaña de náuseas e insomnio persistente que induce al uso de somníferos y a la pérdida de peso. Estos síntomas, que interfieren seriamente con la vida normal del adicto, suelen llevarlo a disminuir o hasta a interrumpir el consumo de la droga por lo menos por un periodo corto. Lo común, sin embargo, es que pronto se reanude la conducta previa, a veces con un consumo aún más intenso.

El uso repetido de cocaína aspirada por la nariz lesiona la mucosa que recubre el tabique nasal. Después de un periodo de catarro crónico puede llegar a perforarse el tabique y a establecerse una inflamación severa de las fosas nasales. Cuando la droga se consumió en forma de *crack* se presentan problemas respiratorios y laríngeos que se parecen al asma y a la laringitis crónica con afonía. De hecho, el fumador crónico de cocaína o mariguana se expone a los mismos males que el fumador de tabaco, además de los que son propios de aquellas drogas.

Se ha dicho que, en general, los jóvenes más proclives a iniciarse en el consumo de cocaína son aquéllos que ya fuman o han fumado mariguana. Las estadísticas lo señalan con claridad, pero no se trata de un antecedente obligado, ya que para algunos muchachos la cocaína constituye la droga de inicio. Lo más frecuente es que se empiece por las drogas legales: el tabaco y el alcohol, aunque en ello también hay excepciones.

EL ÉXTASIS (MDMA) O TACHA: UNA DROGA SUMAMENTE PELIGROSA

Las siglas MDMA son el acrónimo de la 3,4-metilendioximetanfetamina, sustancia variante de la metanfetamina y congénere químico de la *anfetamina*, estimulante del sistema nervioso central, bien conocida desde principios de siglo y utilizada para disminuir el apetito de las personas obesas. La MDMA fue patentada por los laboratorios E. Merck en 1914, debido a su potencial interés médico, pero nunca llegó a comercializarse, por lo que permaneció ignorada hasta la década de 1960, cuando apareció entre las drogas "psicodélicas". La propaganda subrepticia e ilegal la llamó entonces píldoras del amor, éxtasis y Adán. En 1985, una iniciativa de Estados Unidos logró que se incluyera en la lista principal de las drogas ilegales. La noticia provocó su popularidad y desató una polémica muy difundida acerca de sus efectos sobre el psiquismo. No pasó mucho tiempo para que se empezara a hablar de los riesgos y daños que produce esta droga, lo que obligó a efectuar estudios clínicos bien controlados que han dado como resultado un conocimiento seguro y suficiente sobre el tema. Un especialista en el campo ha dicho a propósito del éxtasis: "Se empieza con un periodo de luna de miel que termina en divorcio y... en depresión profunda."[6]

Esta droga no debe confundirse con la MDEA (metilendioxietilanfetamina, Eva) aunque ambas se parezcan por sus efectos. En el verano de 1986 se realizaron los primeros decomisos de éxtasis en Ibiza, España, en donde se tuvo conocimiento de su consumo entre los jóvenes pertenecientes al *jet set*. En las canciones de moda la palabra *acid* se aplicó, ya no a la LSD sino a esta nueva droga que empezó a tipificar las llamadas fiestas *rave* de las *Acid Houses* de Chicago y más tarde de Londres, aunque algunos músicos famosos señalan que la moda en Chicago surgió desde 1981. Lo que deseamos señalar es que el consumo del éxtasis, conocido en México con el nombre de tacha, nació ligado a las fiestas juveniles, a la música y al baile modernos. La verdad es que, con el tiempo, las jornadas musicales en las que se consumen drogas se han convertido en reuniones *para consumir drogas*, en las que se baila y se escucha música. En estas situaciones en las que la droga ocupa el centro de la escena, la tacha se va convirtiendo en el protagonista preferido. En México su consumo persiste entre los jóvenes de las clases media y alta, con consecuencias que no se conocen bien del todo *en lo que se refiere a su extensión*. Estamos a la espera de estudios confiables, pero es un hecho que el consumo de esta droga se está difundiendo peligrosamente desde 1998.

En enero de 1997, la Procuraduría de Estados Unidos alertó a la sociedad estadounidense sobre los riesgos que implica el consumo del éxtasis. De hecho, anunció una estrategia nacional contra las metanfetaminas y solicitó la colaboración internacional. La procuradora Janet Reno expresó con claridad: "Las metanfetaminas se han convertido en unas de las drogas más peligrosas debido a su potencia, bajo costo, disponibilidad... y por el comportamiento violento que a menudo genera actos criminales... abuso infantil, violencia familiar y contagio del SIDA." Más científicamente, lo cual no le quita dramatismo a las palabras de la Sra. Reno, diríamos que las metanfetaminas producen efectos semejantes a los de los estimulantes como la cocaína y de los alucinógenos como la LSD. El éxtasis, por ello, no es

---

[6] *Ecstasy and Eve*, publicado por Lifeline de Inglaterra núm. 515691, 1996.

fácilmente clasificable dentro de los grupos conocidos. Una dosis de 75 a 150 mg por vía oral (se consume en pastillas o tabletas) provocará los primeros efectos dentro de la siguiente media hora y la mayor respuesta entre una y dos horas después. Sólo con fines didácticos nos referiremos separadamente a los efectos sobre el psiquismo y a los cambios fisiológicos que ocurren en el organismo. Empezaremos por estos últimos, con la advertencia de que tanto estas reacciones como las propiamente psicológicas *pueden* presentarse, aunque casi nunca todas en el mismo individuo, pero sí con la frecuencia suficiente como para establecer un cuadro *más o menos característico*.

A continuación se presentan las principales respuestas físicas durante la intoxicación (desde los primeros 30 minutos hasta varias horas después del consumo):

- Anorexia (pérdida de apetito).
- Insomnio (sensación de aumento del estado de alerta).
- Sudación aumentada (sobre todo de las palmas de las manos).
- Poliuria (deseos frecuentes de orinar).
- Bruxismo (rechinido de los dientes).
- Contracción de los músculos de las mandíbulas.
- Sequedad de la boca.
- Sed, a veces imperiosa.
- Taquicardia (aceleración de los latidos del corazón).
- Palpitaciones (percepción de la taquicardia en el pecho).
- Disnea (dificultad para respirar).
- Hipertensión arterial (aumento de la presión arterial).
- Pérdida de la sensación de fatiga.
- Hipertermia (aumento de la temperatura corporal).
- Convulsiones.
- Asistolia (paro cardiaco).
- Muerte súbita con hipertermia maligna.

Todos los efectos anteriores se manifestaron en las investigaciones practicadas. Los más graves ocurren con menos frecuencia, por supuesto. Pero la literatura médica se va enriqueciendo con la observación clínica, la recolección meramente anecdótica de casos y la investigación científica que se realiza continuamente en muchas partes del mundo. Sobre la muerte súbita debemos decir que siempre es una posibilidad y que existe un subregistro estadístico, ya que en muchas ocasiones los certificados de defunción no consignan el uso de la droga como el antecedente directa o indirectamente responsable.

Sobre las respuestas que la droga provoca en el psiquismo, diremos primero aquello que la hace atractiva para los consumidores. Gran parte de éstos señala la sensación de bienestar y felicidad (euforia), aumento de la capacidad para el contacto emocional con los demás, sentimiento de mayor dominio de sí mismo y de seguridad en lo que se hace o dice, sensación de ser más atractivo y tolerante. Estos efectos, agregados a la ausencia de fatiga aunque se realice un esfuerzo prolongado (bailar una pieza musical tras otra, por ejemplo), motivan al usuario a la actividad física y psíquica, por lo que se le ve locuaz y feliz. Durante unas horas, pues, la respuesta suele ser satisfactoria, de acuerdo con las expectativas, pese a que algunos de los síntomas físicos sean desagradables. Desgraciadamente, un buen número de jóvenes que se inician en el uso de la tacha sufre efectos muy distintos a los que hemos descrito hasta aquí.

En la esfera del psiquismo se producen ciertos efectos inmediatos como resultado de la acción intoxicante de la droga, y otros que aparecen después si el consumo se efectúa regularmente, digamos de una a dos veces por semana. Entre los primeros, una respuesta desagradable es la angustia. Algunos jóvenes pueden sentir pánico, verdadero terror con la sensación de que algo grave va a ocurrir; la angustia puede acompañarse de reacciones francamente psicóticas con alucinaciones e ideas delirantes, principalmente persecutorias. Esto constituye lo que suele llamarse "tener un mal viaje", que también ocurre con cierta frecuencia al consumir alucinógenos como el peyote. Recordemos que el éxtasis se sitúa entre ambas drogas, las psicoticomiméticas y las estimulantes, ya que produce efectos que son propios de ambos tipos de fármacos. La ausencia de fatiga favorece que la persona intoxicada realice esfuerzos durante horas seguidas sin necesidad de descanso (bailar agitadamente, por ejemplo) lo cual, a su vez, puede llevar a estados de hipertermia (aumento de la temperatura corporal) sobre todo si se encuentra en lugares caldeados, como las discotecas. La muerte por asistolia (paro cardiaco) puede ser la complicación ligada a esta cadena de efectos: ausencia de fatiga e hipertermia maligna.

Otra respuesta posible es el llamado *flashback*, que constituye un estado pasajero, casi instantáneo, de intoxicación en ausencia de la droga. Es decir, el consumidor percibe los efectos de la droga días o semanas después de haberla eliminado, fenómeno desconcertante que ocurre por lo general con los alucinógenos. Si la MDMA se consume regularmente, aparecen nuevos efectos que persisten entre una toma y otra. La falta de concentración con atención dispersa, el insomnio grave y los estados depresivos son manifestaciones comunes en los consumidores frecuentes y en quienes usan dosis altas del fármaco. También se sabe de numerosos casos de hepatitis e insuficiencia hepática de consecuencias fatales y estados psicóticos permanentes.

Estamos, pues, ante una droga psicoactiva, sintética e ilegal, que daña psíquica y físicamente en forma grave al consumidor. Es muy importante difundir este conocimiento, de tal modo que todo joven que se sienta tentado a probarla quede sobre aviso de los siguientes *hechos*:

1. Cuando se consume el éxtasis por primera vez, lo *probable* es que se obtenga la respuesta deseada o una parecida.
2. Es posible una reacción peligrosa que en el ámbito psicológico va desde la angustia pasajera hasta una psicosis delirante. Físicamente, desde un malestar general difícil de describir, hasta la muerte súbita por paro cardiaco.
3. La tacha es *adictiva*, sobre todo desde el punto de vista psicológico. Existen dudas sobre su poder de adicción fisiológica, pero cada vez se conocen más consumidores crónicos.
4. El consumo regular de esta droga implica grandes riesgos para la salud física y mental.
5. Finalmente, quien pese a todo decide consumirla, debe saber que debido a su peligrosidad hay una fuerte campaña internacional contra su producción, distribución y venta. El riesgo de entrar en conflicto con las autoridades es así mucho mayor.

La información relacionada con la MDMA debe difundirse. El padre de familia y el maestro de escuela han de ser destinatarios importantes de una campaña de divulgación, pero lo son más los jóvenes. En muchos países se proporciona información escrita en las escuelas secundarias y preparatorias, en lugares de diversión, en revistas dedicadas a la juventud, etc. Las sociedades de padres de familia pueden *influir* para que se haga lo mismo en países donde no se efectúa esto.

ANABÓLICOS ESTEROIDES: SUSTANCIAS PROHIBIDAS EN LAS COMPETENCIAS DEPORTIVAS

Desde hace ya muchos años el Comité Olímpico Internacional decidió en buena hora prohibir a los participantes de los Juegos Olímpicos el uso de sustancias psicoactivas y anabólicos esteroides. La prohibición se ha extendido a todos los deportes que se practican profesionalmente. Son dos las principales razones: el alto riesgo físico y psicológico, y la ventaja injusta, moralmente inaceptable, que el usuario de drogas puede adquirir en su rendimiento frente al competidor que se atiene a la respuesta natural de su cuerpo y psiquismo. Aquí sólo nos referiremos a los llamados anabólicos esteroides o simplemente esteroides, que los atletas usan cada vez más, principalmente los que se dedican a los deportes de gimnasio (pesistas y gimnastas). Advertimos de antemano sobre una posible confusión con los corticoesteroides, que son derivados de la cortisona, y que generalmente no se usan para aumentar el rendimiento físico.

Se trata de sustancias químicas muy potentes, derivadas de la hormona masculina natural *testosterona*, producida por células especializadas de los testículos. Como provocan efectos virilígenos se llaman también andrógenas (*andrós*-hombre, *generare*-producir, engendrar). Pueden suministrarse en forma oral pero hay preparaciones especiales para inyectarse, lo que aumenta la posibilidad de los daños, tal es el caso de la propagación del SIDA debido al uso de jeringas no estériles. En general, los efectos pueden dividirse en dos rubros: la virilización o masculinización, y el aumento de la actividad anabólica que se traduce en el desarrollo de la masa muscular.

La testosterona se aisló químicamente en la década de 1930, lo que permitió experimentar su acción en los animales de laboratorio y conocer poco tiempo después los efectos sobre el organismo humano. Unos cuantos años más tarde se comercializó y los médicos empezaron a prescribirla antes de la Segunda Guerra Mundial, sobre todo para que los convalecientes de algunas enfermedades recuperaran su peso. Con el tiempo se vio que el uso médico de los anabólicos es restringido (ciertas anemias, cáncer avanzado de la mama, osteoporosis grave, endometriosis).

¿Por qué algunos atletas usan anabólicos? La respuesta es muy simple: se trata de sustancias que incrementan la masa muscular reduciendo al mismo tiempo la grasa del cuerpo, aumentan la fuerza y facilitan la pronta recuperación después del ejercicio. Como consecuencia, mejoran sensiblemente el rendimiento físico total. Más interesantes que estos efectos, pero desgraciadamente muy indeseables, son los que se producen en otras funciones del cuerpo humano, lo cual puede ocurrir incluso con dosis terapéuticas que es común sean más bajas que las utilizadas para obtener los resultados positivos descritos. Los veremos de una manera resumida.

Se presentan efectos visibles en los caracteres sexuales secundarios. En el varón se producen atrofia testicular (disminución del tamaño de los testículos por pérdida del tejido glandular), agudización de la voz y ginecomastia (crecimiento de las mamas). También suele presentarse cambio en la distribución del vello corporal (se vuelve más feminoide) y en la lubricación de la piel que se hace más grasosa favoreciéndose el desarrollo de acné (presencia de barros y espinillas). En la mujer se producen hirsutismo (aparición de vello en la cara), calvicie de distribución masculina, profundidad de la voz, agrandamiento de la manzana de Adán, atrofia de las mamas y crecimiento del clítoris. Afortunadamente, la mayoría de estos cambios son reversibles al abandonar el consumo de estas drogas.

En el aparato cardiovascular pueden presentarse algunos trastornos potencialmente peligrosos. Por ejemplo, debido a ciertos cambios de los lípidos (grasas) de la sangre, es más factible que haya infartos del miocardio (esta posibilidad, según algunos autores, aumenta 25 % en los consumidores habituales). También se exacerba el riesgo de trombosis cerebral y de cardiomiopatía, enfermedad del corazón por aumento excesivo de la masa muscular del ventrículo izquierdo. Se sospecha que además pueden producirse cambios vasculares y de la presión arterial, aunque los estudios no son concluyentes. En el hígado suelen desarrollarse algunos trastornos que pueden ser mortales, como los quistes sanguíneos y ciertos tumores benignos que llegan a romperse comprometiendo gravemente la salud del consumidor de anabólicos.

Los posibles efectos psicológicos por el uso de anabólicos han sido muy discutidos porque aún no se cuenta con suficientes estudios a largo plazo, y las referencias clínicas son frecuentemente anecdóticas. Sin embargo, los especialistas han identificado dos hechos que se producen claramente: el aumento de la agresividad e irritabilidad, y el desarrollo de una dependencia fisiológica a la que suele seguir un síndrome de abstinencia con depresión clínicamente reconocible. No puede negarse que existe el riesgo del desarrollo de cambios negativos en el psiquismo ligados a los trastornos corporales descritos. Falta mencionar que el varón que ya desarrolló una atrofia testicular, permanece estéril durante el tiempo que dura dicha atrofia, aunque puede recuperarse al suspender el consumo de los anabólicos. Sin embargo, la recuperación ocurre sólo después de transcurridos por lo menos seis meses.

Por desgracia, estas sustancias se comercializan con escasas limitaciones y se agregan a preparados vitamínicos que se distribuyen libremente en los gimnasios, los expendios de alimentos naturales y otros sitios. Los padres de familia deben estar atentos de los hábitos deportivos de sus hijos y alertarlos sobre los peligros del consumo de anabólicos y, en general, de las sustancias que los organismos internacionales han prohibido a los atletas. Nos hemos referido brevemente sólo a los esteroides andrógenos, pero la lista de las drogas ilegales en las competencias deportivas que suelen descubrirse mediante análisis de laboratorio es muy amplia, y comprende principalmente a los estimulantes como las anfetaminas, la cocaína y la efedrina.

Las drogas, la familia y la sociedad

8

El grave problema del uso indebido y el tráfico
ilícito de drogas podrá afrontarse con mucho
mayor éxito cuando en todos los hogares los
padres hablemos con nuestros hijos sobre los
grandes riesgos de esta epidemia mundial.

DR. JUAN RAMÓN DE LA FUENTE
Secretario de Salud de México (1997)

L os padres de familia no sólo tienen el derecho y la obligación de ayudar a sus hijos a evitar los peligros del consumo de drogas. También tienen el compromiso moral con la sociedad entera, su comunidad y su barrio, de colaborar en la lucha contra este problema que nos afecta a todos. Es cierto que los gobiernos deben responder con acciones en diferentes campos: el combate al narcotráfico, el tratamiento de los adictos y la prevención que comprende medidas legislativas y sobre todo educativas. Sin embargo, como lo han expresado en más de una ocasión los expertos de las Naciones Unidas, ningún programa tendrá éxito si la sociedad no interviene con decisión en las estrategias que se planteen. No hay en ello exageración alguna. Si la ciudadanía y sus instituciones no están plenamente convencidas de que existe la amenaza de la ampliación de este problema tan grave (que no sólo es de salud) contra el que debemos luchar *todos*, las acciones de gobierno serán meros paliativos que no se dirigen hacia la raíz del fenómeno. Resulta fundamental una *nueva actitud* de la ciudadanía que la induzca a participar en los programas, desde su elaboración hasta la realización de acciones concretas.

En esta pequeña obra hemos intentado proporcionar a los padres de familia elementos útiles para ayudar a sus hijos a no consumir drogas, o a abandonarlas si ya empezaron a usarlas. Pero queda el enorme campo de la prevención en la comunidad, el gran esfuerzo que ha de realizarse para que la sociedad en conjunto se proteja de este moderno jinete del Apocalipsis, como alguien ha llamado al fenómeno de las adicciones. Quizá esta expresión parezca exagerada si tomamos en cuenta otros males que aquejan hoy al mundo, pero recordemos que el consumo de drogas se asocia a la pandemia de la violencia, la improductividad, la desunión familiar y la degradación moral. Con base en los datos que presentamos a continuación proporcionados por la Organización de las Naciones Unidas en junio de 1997, juzgue usted si hablamos de una amenaza seria para la juventud mundial y para su derecho a la salud y una vida digna.

1. "Entre 3.3 y 4.1% de la *población mundial* (no sólo jóvenes) consume drogas..." Reflexionemos sobre lo que ello implica para el narcotráfico, la corrupción, la violencia (no sólo la relacionada con actividades ilícitas, principalmente la que proviene del efecto de las drogas sobre los consumidores).
2. "Unos 140 millones de jóvenes fuman mariguana con regularidad..." Una mirada a los efectos de esta droga (obstaculización de la capacidad de aprendizaje, disminución de las motivaciones para el progreso individual, asociación con actividades delictivas, etc.) nos hará pensar en los daños a la productividad y la economía, en la actitud conformista y receptiva de la población en la edad más productiva, en todo lo que se desprende de un deterioro de la personalidad de un número creciente de jóvenes y adultos.
3. "Alrededor de 8 millones de personas son adictas a la heroína..." A este respecto, todo lo que hemos señalado es aplicable (y aun con mayor razón). Agreguemos el grave daño a la salud individual así como las consecuencias para terceras personas.
4. "Unos 30 millones consumen drogas sintéticas..." Al recordar lo que mencionamos sobre los efectos de estas sustancias (especialmente las metanfetaminas y la tacha), la preocupación más grave que nos produce esta información es la que se refiere al daño a la salud individual con sus repercusiones sobre la familia y sociedad.
5. "La etapa de mayor riesgo de iniciación en el consumo de mariguana es la adolescencia, y en el caso de la cocaína, la primera juventud (21 a 25 años)..." Noticia que debe impulsarnos a establecer subprogramas específicamente diseñados para la población de esas edades, dentro del plan global (integral) de acción.

Esa era la situación mundial en junio de 1997. Es conveniente tener en cuenta que los datos los avaló la institución que mejor puede hacerlo. En comparación con otros problemas de salud, el dato epidemiológico escueto puede parecernos menos importante. Pero un fenómeno como éste debe analizarse en sus repercusiones sobre la familia y la sociedad. Ciertos estudios han señalado (así lo expresan las estadísticas de los grupos de autoayuda) que, por ejemplo, en el caso del alcoholismo, cada adicto produce efectos negativos (económicos, de violencia física y psíquica, de infelicidad, etc.) en un promedio de *cuatro* personas, principalmente sus familiares. No contamos con información segura respecto a lo que en este plano ocurre con otras drogas adictivas, excepto en el caso de la nicotina cuyas repercusiones en el fumador y la comunidad ya comentamos. Sin embargo, conociendo los efectos de cada sustancia adictiva sobre los consumidores y sobre terceras personas, debe quedarnos muy claro que hablamos de un problema cuya gravedad no podemos ni siquiera suponer en función de los meros datos estadísticos. Los frecuentes llamados a la solidaridad de las naciones frente a este mal mundial se justifican plenamente: "El problema ahora demanda una respuesta internacional determinante", se expresa en el informe al que hemos hecho referencia. Nosotros agregaríamos que esa cooperación ha de basarse en una respuesta firme, decididamente participativa, de toda la sociedad y de la *familia, cuyo poder de acción se ha menospreciado hasta ahora*.

La familia, nos decía el Dr. Fromm, es "la agencia psíquica de la sociedad". Esta frase, a veces muy usada sin la comprensión suficiente por buen número de sociólogos, no sólo expresa la influencia del medio social *sobre el individuo, a través de la familia*. También implica *que la familia puede*, a su vez, *influir en la sociedad* para impulsar nuevas actitudes y formas para enfrentar los inesperados problemas que el proceso histórico va creando. Las naciones que se muestran permisivas ante el consumo de drogas, independientemente de las disposiciones legales, sólo reflejan la actitud que *las familias* adoptan frente al fenómeno. Otras sociedades, en cambio, mantienen una postura de rechazo ante las drogas de tal manera que sus gobiernos promulgan leyes y establecen programas acordes con ese mandato social. Los países que actúan de esa manera son los que obtienen éxitos visibles y cuantificables. El objetivo principal es *reducir la demanda de drogas*, no el de disminuir los daños y manejar los riesgos que, simplemente, significa que la batalla está perdida, las drogas nos inundan, disminuyamos al menos los daños y enseñemos a usarlas responsablemente. Pero, preguntémonos, ¿se puede hacer un uso responsable de algo que es ilegal?, ¿se pueden cometer ilícitos responsablemente? Creemos que hay maneras más sensatas de proceder y que la familia puede influir organizadamente para que nuestros gobiernos, con el apoyo popular, orienten la educación y otras actividades de tal manera que eliminen las dos creencias siguientes que contribuyen a la creación de un clima permisivo ante las drogas: una es que las drogas sólo nos dan placer, y la otra es que las drogas facilitan vivir el momento y que esto es bueno para el hombre.

La primera es una idea extendida por la propagación de verdades incompletas y errores inaceptables. Ya lo dijimos, si bien las primeras respuestas *pueden* ser placenteras, el peligro potencial es el desarrollo de la *adicción*. Una vez que ésta se alcanza (y aun antes) no hay más placer, solamente dolor físico y moral. Con respecto a la segunda podemos decir que es obvio que cambiar una creencia que se adquirió en el curso de decenas de años ameritará un tiempo también prolongado para reforzar los valores morales, pero justo por ello debemos empezar ahora mismo. Desde hace tiempo educadores distinguidos propusieron cambios radicales al proceso educativo para *formar* personalidades sanas más que para *informar* enciclopédicamente a los niños y jóvenes. Es indispensable, nos dicen, revertir el sentido que se ha dado a la educación moderna, con el fin de que ésta tenga un carácter prosocial y no individualista (centrada en la idea de progreso y superación personal, sin responsabilidad ante la sociedad). No puede negarse que hay una buena dosis de romanticismo en esa postura, pero desde los tiempos de Sócrates sabemos que al maestro y al contenido de su enseñanza no les perjudica un poco de idealización de la función educativa. Por lo demás, y como es fácil comprender, un cambio hacia un enfoque como éste no estaría específicamente dirigido a combatir el consumo de drogas, sino a preparar a la juventud para una vida personal y social más sana, acorde con aquello que las ciencias pedagógicas nos han demostrado como deseable y posible. Una especie de subproducto que se lograría y que constituye una meta razonable, sería la reducción del consumo de drogas adictivas a un nivel epidemiológicamente aceptable y socialmente manejable.

Podemos y debemos hablar de *una sociedad libre de drogas* como el *ideal* que motive nuestras acciones. Ahora, el siguiente objetivo es definir la actitud que debemos adoptar frente a las drogas: nosotros no debemos aceptar la integración de éstas a la sociedad si es que deseamos una vida en la que el consumo de sustancias adictivas permanezca como una forma de conducta socialmente *inaceptable*, una conducta que, en todo caso, *sea marginal*. Una sociedad sin drogas es una visión optimista y expresa una actitud positiva de la humanidad, sin olvidar que el comercio de esas sustancias tiene que combatirse y que los adictos tienen derecho a su rehabilitación. Pero la estrategia frente al consumo de drogas es parte de una política social que procura seguridad a los ciudadanos a través de un sistema general de instituciones y de programas en el cual la restricción de la producción y el comercio de drogas es asunto central. El enfoque general descansa sobre la premisa de que todos tenemos derecho a una vida digna y de que ningún grupo ha de ser ajeno al esfuerzo necesario para preservar esa prerrogativa.

En esta parte final intentamos convencer a los padres de familia de la importancia que tiene para la disminución de la demanda de drogas su participación en las acciones preventivas y su activismo para movilizar a los grupos de ciudadanos que pueden trabajar organizadamente, tanto en los programas oficiales como en las organizaciones no gubernamentales. Los países más desarrollados cuentan con numerosas instituciones privadas que estimulan la participación ciudadana en el campo de la salud, en particular en la prevención del consumo de drogas. Sólo para dar dos ejemplos de la eficacia con la que suelen actuar recordemos que en la década de 1980 el Centro para la Ciencia y el Interés Público (CSPI) de Estados Unidos, una organización privada, realizó un gran esfuerzo de sensibilización y obtuvo un millón de firmas en apoyo a una iniciativa de ley que prohibiría la propaganda masiva del tabaco y de las bebidas alcohólicas. Si bien la ley no fue aprobada en los términos propuestos, surgió en el Congreso un amplio debate que sirvió para plasmar el conocido reglamento sobre el consumo del tabaco en los lugares públicos, que ha servido de modelo para otros países. La iniciativa de ley fue el resultado de la participación de diversas instituciones y de expertos al margen del gobierno, aunque contaron con la simpatía del ejecutivo federal. El segundo ejemplo es la activa participación de las universidades públicas y privadas que permite el desarrollo de investigaciones y estudios que proporcionan los conocimientos y datos necesarios para establecer las estrategias que el gobierno de Estados Unidos establece en sus programas de salud.

Una buena política sobre drogas es la que se vale de todas las instituciones que pueden participar en los programas. Los comités municipales, los consejos estatales y el organismo central coordinador (algo así como un consejo nacional contra las adicciones) facilitan que las organizaciones no gubernamentales participen con su esfuerzo y acepten una coordinación que tienda a unificar los criterios básicos. Quedará siempre la posibilidad de realizar acciones autónomas que persigan objetivos particulares congruentes con el plan nacional. Con frecuencia el ciudadano común se pregunta con quiénes o a través de cuáles instituciones puede colaborar en tareas altruistas o en programas específicos como el de prevención de las adicciones (alcoholismo, tabaquismo, consumo de drogas ilegales). Enseguida se da una relación de los organismos y grupos que esperan su concurso personal, pero advirtamos que la mayoría de ellos no cuenta con programas establecidos. He ahí un buen campo de trabajo en donde se debe empezar por organizar a los grupos y proponer acciones, lo cual requiere de entusiasmo que suele brotar cuando nos convencemos de que atenderemos una necesidad de todos. La lista puede ser más extensa, pero la siguiente resulta suficiente para visualizar un extenso campo de posibilidades:

- Padres de familia: asociaciones, agrupaciones, miembros de instituciones y organismos.
- Maestros: sindicatos, sociedades, grupos institucionales o generacionales, etcétera.
- Religiosos: iglesias, sacerdotes, grupos de feligreses.
- Grupos de ciudadanos: industriales, comerciantes, directivos de empresas, ejecutivos.
- Trabajadores: uniones, sindicatos, asociaciones.
- Profesionales y técnicos: asociaciones, agrupaciones, institutos.
- Clubes de servicios: todos los conocidos.
- Fundaciones: grupos altruistas, agrupaciones para la colaboración ante problemas especiales (contra el cáncer, contra el SIDA, por los discapacitados, etc.).

• Voluntariados: esposas de servidores públicos o de ejecutivos de empresa, grupos estudiantiles organizados.
• Líderes sociales: formadores de opinión, ciudadanos distinguidos, intelectuales reconocidos.

La voluntad de actuar es el motor que puede impulsar movimientos locales, institucionales o de pequeños grupos. Cuando se tiene idea de lo que se persigue y de cómo debe hacerse, las acciones organizadas se transforman pronto en resultados positivos que, primeramente deben referirse a una toma de conciencia colectiva del problema y de las posibilidades de prevenirlo. Sin embargo, el objetivo más trascendente que ha de buscarse es *que la sociedad en su totalidad rechace el consumo de drogas como parte de nuestra cultura, que se convenza de que el problema puede detenerse y aún disminuir, y de que una actitud permisiva de la familia favorece que los jóvenes se inicien en el uso de sustancias adictivas.* Ante la pregunta de cómo empezar debemos recordar que, de hecho, ya se comenzó a trabajar en varios países, como México: se han publicado programas, los expertos existen y desean asesorar, y las acciones se encuentran claramente delineadas en las estrategias que el gobierno ha dado a conocer a través del Consejo Nacional contras las Adicciones. Procurar la asesoría conveniente y trazar los primeros caminos es labor urgente que, con voluntad de ciudadanos interesados en la solución del problema puede iniciarse ahí donde aún no se han dado los primeros pasos.

El rechazo de la sociedad hacia el consumo de las drogas adictivas constituye la base de las acciones preventivas, así como la condición esencial para el éxito de los programas. El mensaje que deben recibir nuestros jóvenes, generación tras generación, es que la comunidad no acepta el uso de las drogas ilícitas y que rehúsa distinguir entre drogas blandas y drogas duras (menos peligrosas y más peligrosas). La mariguana, hay que repetirlo, no es una sustancia exenta de riesgos para el desarrollo de una personalidad sana, además de los daños que puede causar a la salud física del consumidor. Legalizar las drogas sería como esconder la cabeza en la arena: se produciría una expansión incontrolable del consumo. Nada de claudicaciones, la lucha contra las drogas no ha de basarse en argumentos moralistas sino científicos y pragmáticos. Nuestras sociedades, las de cada nación, deben exigir que los gobiernos, *con el apoyo organizado de toda la comunidad,* implanten programas integrales que comprendan la lucha implacable contra el narcotráfico (control de la oferta de drogas), la prevención fundada en estrategias ya probadas (disminución de la demanda) y el tratamiento y la rehabilitación de quienes sufren esta forma moderna de esclavitud. Pero la responsabilidad descansa en todos y cada uno de nosotros.

Glosario

Adicción (sinónimos: **dependencia, drogadicción, farmacodependencia**). Es el estado psicofísico causado por la interacción de un organismo vivo con una sustancia, y que se caracteriza por la modificación del comportamiento y otras reacciones que comprenden siempre un impulso irreprimible por consumir la sustancia en forma continua o periódica, con el fin de experimentar sus efectos *psíquicos* o para evitar el malestar que se sufre si no se consume.

Adicto (drogadicto, farmacodependiente). Persona que sufre adicción.

Adictógeno. Que es capaz de generar adicción o dependencia. También se dice adictivo.

Alcohol etílico, etanol. Nombre químico de la sustancia intoxicante contenida en todas las bebidas alcohólicas.

Alcohólico. Persona que sufre de alcoholismo.

Alcoholismo. Término con el que comúnmente se conoce el síndrome de dependencia del alcohol. Es una enfermedad crónica, un desorden de la conducta que se caracteriza por la ingestión repetida de bebidas alcohólicas, hasta el punto en que llega a interferir con la salud del bebedor, así como con sus relaciones interpersonales o su capacidad para el trabajo.

Alucinación. Percepción sin la existencia de un estímulo externo. Puede ser auditiva, visual, olfatoria, gustativa o táctil.

Alucinógeno. Sustancia capaz de producir alucinaciones.

Analgésico. Droga que alivia el dolor. Generalmente se trata de un medicamento.

Anfetamina. Sustancia *estimulante* del sistema nervioso central (SNC). Componente de medicamentos que cada vez se prescriben menos.

Angustia, ansiedad. Sensación de temor, aprensión o inquietud que surge de anticipar un peligro cuyo origen se desconoce y no se comprende. La angustia se distingue del miedo porque este último sí tiene una causa conocida, se teme a los animales, a estar solo, a ciertas personas, etcétera.

Anorexia. Ausencia de apetito.

Ansiolítico. Psicofármaco que quita o reduce la ansiedad.

Antidepresivo. Droga de uso médico para tratar a la depresión.

Barbitúrico. En medicina, droga *hipnótica y sedante*.

Benzodiacepinas. Familia de *psicofármacos* llamados también tranquilizantes menores, que pueden desarrollar adicción.

Cafeína. Droga estimulante de mayor difusión en el mundo. Se encuentra en el café, el té y los refrescos de cola.

Cannabis sativa. Cáñamo de cuyas hojas se obtiene la *mariguana*. Su resina es el hachís o "hashish".

Cardiopatía alcohólica. Trastorno por abuso de alcohol que produce debilidad y crecimiento del corazón.

Cefalea. Dolor de cabeza (también cefalalgia).

Cocaína. Droga ilegal estimulante, ingrediente *psicoactivo* de las hojas de coca.

Codeína. Droga que se emplea para aliviar el dolor y la tos. Es un derivado del opio.

Cognoscitivo. Término que se emplea para referirse al proceso mental de la comprensión, el juicio, la memoria y el raciocinio.

Conducta compulsiva. Comportamiento motivado por un impulso irresistible de ejecutar una acción a pesar de no desearlo conscientemente.

Crack. Preparación especial de cocaína que habitualmente se fuma.

Delirio. Creencia falsa que persiste a pesar de las explicaciones racionales y de la evidencia contraria. La forma de delirio más conocida es el delirio de persecución. En la práctica pueden observarse desde simples ideas delirantes (creencias esotéricas o mágicas), hasta los delirios estructurados que constituyen falsas interpretaciones de hechos más complicados.

Delirio tóxico. Estado de confusión severo con *alucinaciones, ideas delirantes*, agitación y paranoia, provocado por la ingestión de ciertas drogas.

Delirium tremens. Trastorno mental que se caracteriza principalmente por confusión, *alucinaciones, angustia*, temblor generalizado, sudación excesiva, deshidratación y convulsiones. Se presenta de uno a tres días después de que el alcohólico deja de beber repentinamente.

Demencia. Deterioro mental irreversible con disminución de la función intelectual y del juicio, cambio de la personalidad y cambios frecuentes del estado de humor.

Dependencia física. Estado de adaptación fisiológica del organismo a una droga que se manifiesta por el intenso malestar físico si se suspende su administración (*síndrome de supresión o abstinencia*).

Dependencia psicológica. Ocurre cuando una droga produce placer y un fuerte impulso por consumirla periódicamente con el fin de sentir ese efecto.

Depresión. Popularmente es un estado por el que pasan los individuos normales que se caracteriza por tristeza, pesimismo y disminución de las actividades habituales. En psiquiatría, es un *síndrome* en el que los *síntomas* principales son la tristeza, el *retardo psicomotriz*, la falta de concentración, la *angustia* acompañada de ideas obsesivas y una visión muy negativa del presente y futuro; suele haber trastornos del sueño (principalmente insomnio) e ideas de muerte o suicidio. Este estado generalmente no tiene relación directa con los sucesos cotidianos, aunque en ocasiones se presentan episodios emocionales negativos que precipitan la depresión.

Depresor. Sustancia que inhibe las funciones del sistema nervioso central (SNC). Las principales son el *alcohol*, los *barbitúricos* y una enorme variedad de *sedantes* sintéticos y *somníferos o hipnóticos*.

Droga. Es cualquier sustancia química o mezcla de sustancias distintas de las necesarias para conservar la salud en condiciones normales, cuya administración modifica las funciones biológicas y, posiblemente también, la estructura del organismo. Suele definirse como cualquier sustancia que introducida en el organismo vivo puede modificar una o más de sus funciones.

Droga adictiva. Sustancia capaz de producir un estado de *dependencia psíquica*, *física* o ambas.

Droga ilegal o ilícita. Es cualquier fármaco capaz de causar daño al organismo y al *psiquismo*, y que está dentro de las listas de sustancias prohibidas.

Droga lícita. Es cualquier sustancia de uso permitido, que no está en la lista de las sustancias que han sido declaradas ilegales por la legislación de cada país. Las más importantes son los *psicofármacos* medicinales reglamentados, la *nicotina* del tabaco y el *etanol* (alcohol etílico).

Droga psicoactiva, psicodroga, psicofármaco (psicotrópico). Sustancia que altera el funcionamiento mental por su acción en el cerebro.

Droga sintética. Droga sintetizada en el laboratorio y que no tiene un origen vegetal.

Drogas psicodislépticas, psicoticomiméticas, psicotomiméticas, psicodélicas o alucinógenas. Sustancias que causan *alucinaciones* y alteraciones mentales, emocionales y del comportamiento, semejantes a las de la *psicosis*. Generalmente no producen dependencia física.

Esquizofrenia. Grupo de trastornos *psicóticos* con predominio de los cambios del pensamiento, del humor y de la conducta. Puede haber una inadecuada interpretación de la realidad, *delirios y alucinaciones* (en el lenguaje popular, locura).

Estado paranoide. Situación en la cual un *delirio*, generalmente persecutorio o de grandeza, es la anormalidad esencial. Puede haber también alucinaciones.

Estimulante. Sustancia cuyos efectos en el hombre son la *euforia*, el aumento del estado de alerta y la disminución tanto del apetito como de la sensación de fatiga.

Estupefaciente. *Droga psicoactiva narcótica y analgésica* generalmente de origen natural que provoca *adicción*.

Estupor. Estado en el que el sujeto está parcialmente consciente. Insensibilidad acompañada de una disminución de los movimientos voluntarios.

Etiología. Estudio de las causas de las cosas. En medicina es el estudio de las causas de las enfermedades (del griego *aitía*, causa).

Euforia. Sensación de bienestar, relajación y placer.

Éxtasis (tacha). Droga sintética de acción estimulante, cuya estructura química es similar a la anfetamina.

Fármaco. En sentido estricto, droga medicinal o medicamento. Es sinónimo de droga en general.

Farmacología. Es el estudio de las drogas o fármacos en su totalidad (sus orígenes, composición química, acciones y uso). Es una rama de la medicina.

Hachís, hashish. Resina que se obtiene de la mariguana.

Heroína. Droga semisintética derivada de la *morfina*. Potente *analgésico narcótico* que provoca *euforia*, de gran potencial adictivo (mayor que cualquier otro analgésico).

Hiperquinesia. Actividad física aumentada.

Hipnótica. Droga que induce al sueño.

Ice. Droga sintética estimulante similar a la anfetamina.

Idea delirante. Idea equivocada, firme y fija, que se sostiene en contra de los argumentos lógicos.

Inhalable. Sustancia *psicoactiva* volátil que se aspira por la boca o nariz (pegamentos, lacas, thínner, cementos, gasolina, acetona, etc.).

Intoxicación. Estado *patológico* de un organismo a causa de las alteraciones fisiológicas producidas por el consumo de una sustancia. Depende de varios factores como la dosis, el tipo de sustancia y las características del consumidor.

LSD. Dietilamida del ácido lisérgico. Droga sintética *alucinógena* de producción y distribución ilegal.

Manía, estado maniaco. Trastorno que se caracteriza por el aumento de la actividad física, agitación y lenguaje y pensamiento acelerados.

Mariguana. Droga que se obtiene a partir de las hojas del cáñamo *Cannabis sativa*. Generalmente se fuma pero puede masticarse, ingerirse en forma de té o cocinarse con la masa de pasteles. Casi siempre provoca una sensación de relajación, hilaridad, distorsiones auditivas o visuales, e inhabilidad motriz. Dosis altas pueden provocar *alucinaciones* y *estados delirantes*.

Memoria de fijación. Facultad de recordar los hechos ocurridos recientemente.

Memoria de evocación. Facultad de recordar eventos ocurridos mucho tiempo atrás.

Metadona. Droga sintética que se usa por prescripción médica en el tratamiento de los adictos a la *heroína*.

Mezcalina. Sustancia *alucinógena* que se encuentra en el peyote, y que produce efectos iguales a los de la LSD.

Morfina. Prototipo de las drogas *opiáceas* de alto potencial adictivo, que provoca un efecto analgésico, euforia y somnolencia placentera.

Narcóticos o drogas narcóticas. Sustancias psicoactivas que en dosis bajas alivian el dolor y producen sueño, pero que en dosis mayores causan estupor, coma y convulsiones.

Neuroadaptación. Proceso bioquímico que realizan las células nerviosas del cerebro por el contacto frecuente con una droga psicoactiva, lo que altera su fisiología y por tanto su reactividad ante esa sustancia. La tolerancia es la manifestación clínica de esta adaptación al fármaco; si el consumo se prolonga y ocurre con frecuencia en dosis elevadas, se presenta el *síndrome de abstinencia o supresión*. La tolerancia y el síndrome de abstinencia son la expresión clínica de la neuroadaptación.

Neurolépticos o antipsicóticos. Psicofármacos de gran utilidad en la psiquiatría principalmente para el tratamiento de las psicosis. Están indicados en los estados de excitación, agitación y *ansiedad*; reducen la impulsividad y la agresividad.

Neurosis. Término que califica a ciertas formas de desadaptación emocional que se manifiesta en actitudes y conductas peculiares, caracterizadas por la angustia que se origina en conflictos inconscientes. Originalmente se empleaba el vocablo "psiconeurosis".

Nicotina. Es el alcaloide incoloro que contienen las hojas de tabaco, sustancia responsable de muchos de los efectos del tabaco.

Opiáceos. Todas las sustancias derivadas del opio que tienen la propiedad de suprimir el dolor, producir euforia con somnolencia placentera y causar dependencia. Su potencial adictivo es muy grande.

Opio. Resina de la cápsula de la amapola (*Papaver somniferum*). Su principal ingrediente activo es la morfina, pero además contiene sustancias psicoactivas que pueden extraerse en forma pura, como la codeína. De la morfina se sintetiza la heroína (acetilmorfina).

Patología. Rama de las ciencias biomédicas que estudia las enfermedades o lo relativo a los estados anormales de los organismos vivos.

Patológico. Anormal o que implica enfermedad. El término proviene del griego *páthos* que significa padecimiento, sufrimiento. Lo patológico se refiere a lo que es anormal, enfermizo o que causa sufrimiento.

PCP. Polvo de ángel. Fenciclidina. Sustancia sintética alucinógena muy peligrosa, originalmente usada como anestésico en veterinaria.

Peyote. Cactus originario de ciertas áreas de México y de toda América, del cual se obtiene la mezcalina, un potente alucinógeno.

Polineuritis. Inflamación simultánea de varios nervios periféricos. En el alcohólico se presenta principalmente en los miembros inferiores. El paciente sufre parálisis parciales, dolores y otros trastornos importantes. También se le llama polineuropatía alcohólica.

Poliuria. Emisión de orina en cantidades mayores que lo normal.

Prevención. Conjunto de acciones que permiten evitar o detener las enfermedades.

Prevención primaria. Conjunto de actividades encaminadas a evitar que se presenten nuevos casos de una enfermedad determinada.

Prevención secundaria. Diagnóstico oportuno de los casos iniciales de una enfermedad para su tratamiento.

Prevención terciaria. Conjunto de medidas de tratamiento y rehabilitación para reinsertar al paciente en la familia y la sociedad, limitando así el daño que produce una enfermedad determinada.

Psicopatología. En psiquiatría, estudio de las causas y los factores significativos en el desarrollo de los trastornos mentales. Conjunto de manifestaciones propias de los trastornos mentales.

Psicosis. Trastorno mental en el que se encuentra disminuida la capacidad para pensar, responder emocionalmente, recordar, comunicarse, interpretar la realidad y conducirse de manera adecuada. Son frecuentes los *delirios* y las *alucinaciones*.

Psicosis alcohólica. Conocida también como *psicosis de Korsakoff*, constituye un estado de demencia con pérdida parcial de la memoria y confabulación (el paciente relata como hechos reales meras situaciones imaginadas, a veces estructuradas complicadamente).

Psicoterapia. En su acepción más general, es el tratamiento del paciente mediante procedimientos psicológicos. Más específicamente, es una forma de tratamiento de los problemas emocionales y de conducta por la comunicación que se establece con el paciente con el fin de eliminar, atenuar o modificar los *síntomas* de su trastorno. Puede ser un tratamiento paralelo o concomitante al suministro de *psicofármacos*.

Psicotrópicos o drogas psicotrópicas. Es el término usado para designar una serie de sustancias *psicoactivas* que tienen, o alguna vez tuvieron, aplicación legítima y autorizada en el campo de la medicina (especialmente en psiquiatría). Por lo general se refiere a los *antidepresivos* y *tranquilizantes mayores*, aunque también se emplea al hacer mención de ciertos *estimulantes* (como las *anfetaminas*), *sedantes hipnóticos* (como los *barbitúricos*), así como de *tranquilizantes menores* (como las *benzodiacepinas*). Todas estas sustancias son susceptibles de uso indebido y tienen potencial adictivo.

Psilocibina. Sustancia activa de la seta *Psilocybe mexicana*. Es una droga *psicodisléptica* o *alucinógena* de efectos similares a los de la LSD.

Psiquismo. Término que se utiliza generalmente para referirse a las funciones mentales del ser humano: pensamiento, juicio, razonamiento, inteligencia, etcétera.

Sedación. Estado de disminución de las actividades del sistema nervioso central.

Sedante, sedativo. Que tiene la virtud de calmar los dolores o la excitación nerviosa. Proviene del latín *sedare*, calmar o apaciguar.

Sensorial. Relativo a la percepción del mundo a través de los sentidos.

Signo. Manifestación objetiva de una enfermedad que es conocida por el médico mediante la exploración del paciente (un soplo cardiaco, anormalidades de la presión arterial, alteraciones del pulso, etc.).

Síndrome. Conjunto de síntomas y signos característicos de un cuadro patológico.

Síndrome de abstinencia (o síndrome de supresión). Conjunto de trastornos físicos y psicológicos que presenta el adicto a una droga cuando suspende su consumo bruscamente.

Síntoma. Manifestación subjetiva de una enfermedad o molestia que el paciente puede comunicar a los demás (dolor, náusea, angustia, etc.).

Sistema nervioso central (SNC). Cerebro y médula espinal, incluyendo los ganglios de las raíces dorsales. Es distinto del sistema nervioso vegetativo.

Somático. Relativo al cuerpo, al *soma*.

Taquicardia. Aceleración de la actividad del corazón (mayor frecuencia del pulso).

THC (delta-9-tetrahidrocanabinol). Principal ingrediente activo de *Cannabis sativa*, causante de la mayor parte de sus efectos *psicoactivos*.

Terapéutico. Que cura o que trata un padecimiento.

Testosterona. Hormona sexual masculina que secreta el testículo.

Tolerancia. Necesidad de aumentar progresivamente la dosis de una droga para obtener resultados semejantes a los alcanzados al principio.

Tolerancia cruzada. Fenómeno que se presenta cuando un organismo que ha desarrollado tolerancia con respecto a una sustancia, muestra también tolerancia a otra del mismo grupo (alcohol y barbitúricos, por ejemplo).

Tóxico. Sustancia perjudicial al organismo, dañina.

Tranquilizante (ansiolítico). Sustancia que calma, sin inducir el sueño.

Volátil. Sustancia que se evapora y puede aspirarse.

Volitivo. Relativo a los actos y fenómenos de la voluntad.

Índice analítico